Hans Ulrich Gumbrecht

Lob des Sports

Aus dem Amerikanischen
von Georg Deggerich

Suhrkamp

Umschlagabbildung: Pelé im Trikot des FC Santos, Los Angeles, 1970.
Foto: Bettmann/Corbis

Satz: TypoForum GmbH, Seelbach
Druck: Clausen & Bosse, Leck
Printed in Germany
Erste Auflage 2005
ISBN 3-518-41689-8

1 2 3 4 5 6 − 10 09 08 07 06 05

Lob des Sports

Für Christopher und unsere Zukunft in seiner Hand,
für Marco, der uns an die Grenzen führt,
für Hanni, der uns auf den Weg gebracht hat,

and for the Stanford Cardinal Football Teams,
from the 1989 season until 2048,

in (for once) speechless gratitude

Inhalt

Fan-Faszination

Wenn Sie bereit sind zuzugeben, daß Sie einfach einer unter den Milliarden normaler Sportfans sind, die Woche für Woche, tagelang, stundenlang und seit Jahren schon die Spiele ihrer Mannschaft verfolgen, dann werden Sie das Bild, das ich zu Beginn dieses Buches vor Augen habe, ebensogut kennen wie die intensiven Gefühle, die solche Bilder hervorrufen. Denken Sie also an einen Ihrer persönlichen Helden: an Michael Jordan oder Dirk Nowitzki, an Pelé, Diego Maradona, Franz Beckenbauer oder Zinédine Zidane, an Joe Montana, Jerry Rice oder Michael Vick. Und nun stellen Sie sich vor, Ihr Held ist im Ballbesitz, verfolgt und attackiert von den gegnerischen Spielern. Sekundenbruchteile bevor ihn sein Gegenspieler in die Zange nimmt, spielt er einen weiten Paß. Mit einem Mal haben Sie das Gefühl, die Welt bewegt sich in Zeitlupe, und obwohl der Ball an ihrem Platz im Stadion vorbeifliegt, läßt sich unmöglich sagen, wo er landen wird, und Sie fürchten – mit der konzentrierten Leidenschaft eines Wettsüchtigen, der sein ganzes Geld auf eine einzige Zahl gesetzt hat –, daß ein Spieler des gegnerischen Teams ihn abfangen wird. Doch während der Ball einen unwahrscheinlichen Bogen beschreibt und sich langsam herabsenkt, taucht plötzlich – ohne daß Sie es mitbekommen haben – genau an der Stelle, wo er auf den Rasen treffen wird, ein Spieler der eigenen Mannschaft auf. Beide Bewegungen, die des Balls in der Luft und die des Spielers, den Sie gerade erst entdeckt haben, konvergieren in einer Form, die im Moment ihres Entstehens auch schon wieder verschwindet. Der Spieler der eigenen Mannschaft nimmt den Ball nur um Haaresbreite auf, aber er schafft es, versetzt die gegnerische Abwehr und läuft mit dem Ball in eine Richtung, die niemand (Sie selbst eingeschlossen) erwartet hätte. Einen Moment lang glauben Sie, seinem flammenden Blick zu begegnen. Zwischen diesen beiden Momenten, zwischen dem kurzen Blick des Spielers und Ihrer eigenen Wahrnehmung, fällt die Welt zurück in ihr normales Tempo, und Sie können wieder atmen, so tief, daß es in der Brust schmerzt, und Sie fühlen sich erleichtert und stolz und zuversichtlich angesichts des schönen Spielzugs, den Sie soeben erlebt haben und der sich nie in Echtzeit wiederholen wird. Das Stadion dröhnt – es gibt kein anderes Wort dafür – aus 50000 Kehlen, einschließlich Ihrer eigenen, in einer machtvollen Begleitmusik für die Woge der Begeisterung und des intensiven Erlebens, die Sie mit sich reißt. Stunden später, auf dem Weg durch die kühle Luft des Herbstabends vom Stadion zu Ihrem Auto, erschöpfter als an irgendeinem anderen Tag der Woche, erinnern Sie sich an diesen Moment des Spiels als einen Moment vollkommenen Glücks. Noch einmal, diesmal ohne alle Anspannung, weitet Ihnen der schöne Spielzug die Brust und läßt Ihr Herz schneller schlagen. In der Erinnerung lebt der Augenblick des Spiels wieder auf, und indem Sie sich wünschen, ihn festhalten zu können, verspüren Sie ein leises Zucken in den Beinen, als wollten Sie Ihrem Helden auf dem Rasen nacheifern.

*

Manchmal erinnert er sich an das Spiel der National Hockey League, das er 1988 gesehen hat, als er noch beinahe jung war. Es war im Forum in Montreal gewesen, einem schmucklosen Gebäude irgendwo zwischen dem Stadtzentrum und der Peripherie, das die echten Eishockey-Fans damals »das Heiligtum des Eishockeys« nannten. Ein starker Nikotingeruch aus glücklichen vorökologischen Zeiten hielt sich hartnäckig im labyrinthischen Innern des Forums, das mit Rolltreppen, Verkaufsständen, gewundenen Treppenaufgängen und seltsam freien Flächen gefüllt war, die einem selbst dann leer vorkamen, wenn sich dort in den Pausen die Zuschauer drängten. Entlang der bräunlich gestrichenen Wände hingen unzählige Fotos, auf denen längst vergessene Mannschaften und einstige Stars der heimischen Canadiens zu sehen waren. An diesem Abend spielten die Canadiens gegen ihre Erzrivalen, die Boston Bruins. Er erinnert sich, daß das Spiel mit einem 3:3 Unentschieden und einer wilden Prügelei zwischen den *enforcers* der beiden Teams endete (Jahre später sah er den kroatischen Namen eines dieser Spieler in einer Schlagzeile im Sportteil der *New York Times* wieder: er war in eine der unteren Spielklassen relegiert worden und hatte ein paar Monate später in einem Motel in North Dakota Selbstmord begangen). Das einzige Ticket, das er vor den Toren des Forums hatte bekommen können (selbstverständlich auf dem Schwarzmarkt, da sämtliche Spiele der Canadiens in jenen Jahren ausverkauft waren), war ein Stehplatzticket, selbst damals schon eine absolute Ausnahme in einem Eishockey-Stadion, und das aus gutem Grund, weil es von seinem Platz aus nahezu unmöglich war, den blitzschnellen Bewegungen des Pucks auf dem Eis zu folgen. Er konzentrierte sich deshalb auf den Torwart der Heimmannschaft, von dem er gehört hatte, er sei noch sehr jung (was unter seinem Helm und der grotesk gepolsterten Spielermontur nicht zu sehen war) und ungemein talentiert – außerdem war er unverkennbar der Liebling der lärmenden Menge. Was ihn sofort faszinierte, war der eigenartige Tick des Torwarts: Sein Kopf ragte wie der einer Schildkröte zwischen den Schulterpolstern hervor. Aber anders als bei allen Schildkröten, die er bisher gesehen hatte, reckte der junge Torhüter sein Kinn und den ganzen Kopf unablässig rhythmisch vor und zurück, als versuche er, einen ausgerenkten Knochen wieder an Ort und Stelle zu bringen. Obwohl diese ständigen Bewegungen ihn wie ein Nervenbündel und wie ein leichtes Opfer für die Stürmer der Boston Bruins aussehen ließen, waren seine Reaktionen im Tor atemberaubend, ja im wahrsten Sinn des Wortes unglaublich. Pucks, die mit voller Wucht aus einer Entfernung von sechs bis sieben Metern abgefeuert wurden, fing er mit seinem Handschuh, als hätte er seit dem ersten *bully* nur darauf gewartet, mit einer beinahe verächtlichen Gelassenheit, während er das Rucken seines Kopfes für einige Sekunden einstellte. Kein schneller Konter – und Konter auf dem Eis sind ganz besonders schnell – schien ihn je zu beeindrucken, während sein starrer Blick die gegnerischen Stürmer verunsicherte. Und wenn es nötig war, hielt er den Puck auf, indem er ihn unter seinem mächtigen gepolsterten Körper begrub. Der Name des Torhüters war Patrick Roy, und aus dem Jungstar im Forum von Montreal sollte in den Neunzigern einer der größten (und umstrittensten) Eishockey-Spieler aller Zeiten werden.

*

Bleiben wir bei Bewegungen, die auf den ersten Blick seltsam, sogar grotesk erscheinen und am Ende eine solche Faszination ausüben, daß sie einen stundenlang vor den Fernsehschirm bannen: Nichts widerspricht dem Kanon westlicher Schönheit mehr als die Hunderte von Extra-Pfunden, die japanische Sumo-Ringer unter der Haut tragen und stolz zur Schau stellen. In den Minuten vor dem Kampf fesselt uns die rituelle Choreographie, die diese Sportler vollführen, auf eine Weise, daß wir vergessen, wie abgrundtief häßlich sie sind, zumindest für unsere Augen, die an den westlichen Schlankheitskult gewöhnt sind. Doch wenn sie anfangen, sich gegenseitig zu drücken und zu schieben, wenn sie durch die gewaltigen Kräfte ihre Balance verlieren, wenn sie stolpern und außerhalb des Kreises, in dem sie ihre wahrhaft massigen Körper zu halten versuchen, zu Boden gehen, dann wird verständlich, warum diese Kämpfe einst in den Shinto-Tempeln aufgeführt wurden, um die Aufmerksamkeit der Götter zu gewinnen. Er erinnert sich, wie er geradezu süchtig danach war und keine Gelegenheit verpaßte, Sumo-Ringern zuzuschauen, einen Kampf nach dem anderen, der immer nur wenige Sekunden dauert, mit langen Minuten angespannten und frustrierenden Wartens dazwischen. Nie wird er die Kraft des gewaltigen Akebono vergessen, des Großmeisters aus Hawaii und Herrscher Japans, den keiner seiner Konkurrenten von der Stelle bewegen konnte. Noch ganz genau hat er jenen Nachmittag im Kansai-Flughafen in Erinnerung, als er vor dem Großbildschirm auf Akebonos Auftritt wartete und plötzlich ein japanischer Steward seines Flugs nach Australien auf ihn zutrat, um ihm augenzwinkernd zu erklären, er müsse sich jetzt entscheiden, ob er die Maschine nach Sydney noch nehmen wolle. Er sollte Akebono nie wieder kämpfen sehen. Denn als er nach Japan zurückkehrte, hatte der hawaiische ›Yokozuna‹, der Großmeister der Großmeister, sich vom aktiven Sport zurückgezogen.

Keine Frage, beim Sumo-Ringen kommt der Geschmack erst mit der Zeit – weshalb manche es grundsätzlich für schlechten Geschmack halten –, und in gewisser Weise trifft das gleiche auch auf Eishockey und die Raufereien der Spieler auf dem Eis zu.

Aber kann jemand unempfänglich bleiben für die geschmeidige Eleganz des Laufs von Jesse Owens, den Leni Riefenstahl in ihrem berühmten Film über die Olympischen Spiele von 1936 festgehalten hat? Tatsächlich wirkt seine Konzentration Sekunden vor dem Start so intensiv, daß sich die Frage aufdrängt, ob es nicht die größte aller menschlichen Errungenschaften wäre, einen Weg ›zurück‹ zur eindimensionalen Zielgerichtetheit eines jagenden Löwen zu finden. Wenn Jesse Owens läuft und als erster ins Ziel kommt, ohne jede Anstrengung, verwandelt er sich in göttliche Anmut. Sein Gesicht ist weniger stolz als beinahe erstaunt, vielleicht sogar ein wenig peinlich berührt über die höhere Kraft, die ihn zu tragen scheint – und kein Zuschauer kann seinem Zauber widerstehen. Als ich vor Jahren einmal den Namen Jesse Owens in einem Seminar erwähnte, war ich so voller Begeisterung, daß ein noch sehr junger Student (der heute ein Weltranglistenspieler im Tennis ist) glaubte, ich sei bei der Olympiade in Berlin dabeigewesen. Immerhin muß ich gestehen, daß mir noch heute beim Betrachten dieser Bilder, zu meiner anhaltenden Verwunderung und Verlegenheit, die Tränen kommen, Tränen, wie ich hinzufügen will, die nichts damit zu tun haben, daß ich Trauer über Jesse Owens' nicht immer glückliches Leben empfinde.

*

Doch es müssen nicht immer Stars wie Jesse Owens, Akebono oder Patrick Roy sein. Es müssen nicht immer die objektiv Größten aller Zeiten und die weltbesten Sportler sein, die sich in den Augen der begeisterten Zuschauer zu Helden verklären. Worauf es ankommt, ist ein gewisser Abstand zwischen dem Sportler und dem Zuschauer, und dieser Abstand ist groß genug, sobald der Zuschauer glaubt, daß seine Stars in einer anderen Welt leben – denn unter dieser Voraussetzung verwandeln sich die Sportler in Objekte des Begehrens. In seiner Kindheit nahm ihn sein Vater mehrere Male mit zu Fußballspielen in fremden Städten (seine Heimatstadt hatte schmählicherweise keine eigene Mannschaft in der ersten oder zweiten Liga). Die Städte und ihre Klubs waren, was das fußballerische Niveau angeht, so unbedeutend wie ihre Namen: Fürth, zum Beispiel, oder Schweinfurt. Doch umgab die Spielvereinigung Fürth (nebenbei gesagt die Lieblingsmannschaft Henry Kissingers) eine fußballerische Aura von drei in den zwanziger Jahren errungenen nationalen Meisterschaften. Außerdem war der Drittkläßler fasziniert von der seltsamen Abkürzung des Vereinsnamens (SpVgg) und davon, daß sein Vater zumindest einem ihrer damaligen Spieler, der Gottinger hieß, eine große Zukunft, vielleicht sogar einen Platz in der deutschen Nationalmannschaft zutraute. Schweinfurt hatte weder eine Vergangenheit noch eine Zukunft, spielte aber dennoch in der ersten Liga. Deshalb empfing der Klub auch regelmäßig bekanntere Mannschaften, zum Beispiel die Spieler von Eintracht Frankfurt, die 1960 im Finale des Europapokals gestanden hatten und 3:7 von den damals schon alternden Stars von Real Madrid geschlagen worden waren, von Puskas, di Stefano, Kopa und Gento, den herausragenden Spielern einer der besten Mannschaften, die es je im Fußball gegeben hat. Bescheiden im Vergleich zum ›königlichen‹ Klub aus Madrid, hatte Frankfurt einen Torwart mit dem lakonisch klingenden Namen Egon Loy. Loy war groß, nicht sehr geschmeidig in seinen Bewegungen und trug, selbst wenn er nicht gegen die tiefe Nachmittagssonne spielte, immer eine Kappe mit einem breiten Schirm, die wie eine Strickmütze aussah, sowie einen grauen Wollpullover (bei Sonne wie Regen) und Knieschoner, die so groß waren wie orthopädische Schalen. Seines Wissens hat nie jemand Egon Loys Lob gesungen (oder auch Gottingers Lob, der im übrigen die Erwartungen des Vaters nie erfüllte). Vermutlich gehörte Egon Loy zum schwächeren Teil der mehr als respektablen Frankfurter Mannschaft, aber trotzdem war er einer der Helden seiner Kindheit (es waren die großen Torhüter-Jahre in der Geschichte des Fußballs). Nie wird er den Augenblick vergessen, als sein Vater auf der Rückfahrt von einem Spiel in Schweinfurt in einem Gasthof des Dorfes Werneck anhielt, wo er eine Bratwurst aß und in Gedanken noch ganz beim Spiel war, als plötzlich die siegreichen Frankfurter Spieler durch die Tür kamen (offenbar kannte sich der Busfahrer in der lokalen Gastronomie so gut aus wie sein Vater) und der lange Egon Loy etwas schleppend an sei-

nem Tisch vorbeilief, so dicht, daß er ihm einen Moment lang
die Hand hätte geben können.

*

Dies geschah einige Jahre nachdem die deutsche Nationalmannschaft zum ersten Mal Weltmeister geworden war, am 4. Juli 1954
in Bern, ein Ereignis, das nicht nur historisch als das symboli-
sche Ende der Nachkriegsära in Deutschland Bedeutung erlangt
hat (ähnlich wie die Olympischen Spiele 1964 in Tokio für Japan), sondern auch das erste konkrete Sportereignis ist, an das er
sich erinnern kann. Wie alle Erwachsenen an diesem regneri-
schen Sonntagnachmittag folgte auch der künftige Erstkläßler
den Kommentaren eines Radiosprechers, der klang, als hätte er
zuviel Wein getrunken (tatsächlich dachte man bei der Stimme
eher an Wein als an Bier). Während der Junge vor dem wuchti-
gen Siemens-Radio mit dem grün leuchtenden ›magischen
Auge‹ saß, fand er heraus, daß der Mann im deutschen Tor Toni
Turek hieß und daß Helmut Rahn, der Rechtsaußen, zwei Tore
geschossen und das Spiel für Deutschland entschieden hatte –
und daß, als das Spiel abgepfiffen wurde, sich etwas in der Welt
um ihn herum verändert hatte. Die Erwachsenen sprangen auf,
sangen feierlich ein Lied, das er nie zuvor gehört hatte (es war
natürlich die deutsche Nationalhymne), und die Stimmung seiner Eltern und ihrer Freunde schien innerhalb weniger Minuten
von Niedergeschlagenheit in Euphorie umgeschlagen zu sein.
Einige Jahre nach der Beinahe-Begegnung mit Egon Loy und
ungefähr ein Jahrzehnt nach dem ersten Fußballweltmeistertitel
(der mittlerweile als ›Das Wunder von Bern‹ in die Geschichte
eingegangen ist) sah er aus fünfzehn Metern Entfernung, wie
der große Uwe Seeler, der Hamburger Mittelstürmer der deutschen Nationalmannschaft jener Jahre, ein legendäres Tor gegen
Eintracht Frankfurt und seinen Torhüter Egon Loy erzielte, als er
waagerecht in der Luft liegend den Ball volley ins Netz jagte
(dabei, glaubt er sich zu erinnern, riß Seelers Achillessehne mit
einem dumpfen Plock, ein Geräusch, das er noch nie gehört
hatte). In jenen frühen sechziger Jahren begann er auch American Forces Network auf seinem Transistorradio zu hören, heim-

lich nach Mitternacht unter der Bettdecke, weil seine Eltern es ihm nicht erlaubt hätten, dabeizusein, wenn Cassius Clay, noch bevor er zu Muhammad Ali wurde, seinen Weltmeistertitel im Schwergewicht gewann und verteidigte und den Reportern auf der Suche nach griffigen Formulierungen ein ums andere Mal mit spontanen Zweizeilern aushalf, wie etwa jenem Satz, den er auf Anhieb verstand (und nie vergessen wird), ›live‹ aus Miami, gleich nach Clays K.-o.-Sieg über Sonny Liston: »He wanted to go to heaven, so I took him in seven.«

*

Aber einem Sportereignis zuzusehen ist allerdings keineswegs das, was Intellektuelle ein »Proustsches Vergnügen« nennen, und es hat nichts mit Schwelgen in ›vergangenen Zeiten‹ zu tun. Erinnerungen sind im Sport sekundär. Denn Sport bedeutet in erster Linie, das Geschehen an Ort und Stelle zu verfolgen und dabeizusein, wenn Formen durch Körper entstehen, als reale Präsenz und in der Zeitform des Augenblicks. Gewiß, einige Sporterinnerungen haben sich tief in unser Gedächtnis und, wie ich glaube, sogar in unseren Körper eingeprägt. Wenn sie bei Sportereignissen auch meist im Hintergrund bleiben, müssen sie doch nie dadurch hervorgelockt werden, daß man sich die Momente der Vergangenheit bewußt ins Gedächtnis ruft. Vielmehr überfallen uns die Erinnerungen mit unvergleichlicher Gewalt, was beweist, daß nichts intensiver (und konzentrierter) ist als jene Augenblicke realer Präsenz im Stadion oder manchmal auch vor dem Radio oder dem Fernseher. Solche Erinnerungen mögen bei aktuellen Präsenzerlebnissen mitschwingen und können deren Komplexität steigern, sie polyphoner und polyrhythmischer machen – und mit wachsendem Alter sogar von Mal zu Mal intensiver. Dann verstärken die Erinnerungen die Ereignisse der Gegenwart, während das gegenwärtige Geschehen umgekehrt unsere Erinnerungen neu belebt. Jeder Eishockeytorwart, den ich in Aktion sehe und bewundere, wird das Bild von Patrick Roy in meinem Kopf noch heller strahlen lassen, während die Aura von Patrick Roy jedem seiner Nachfolger die Chance gibt, in mein unablässig wachsendes privates Pantheon aufgenommen zu werden. Trifft es nicht zu, daß Erinnerungen an Jesse Owens' Leichtigkeit beinahe jeden jungen Körper, den wir im Lauf sehen, eleganter erscheinen lassen? Dies sind die zwei Seiten einer Verklärung, die vielleicht nur der Sport bewirken kann.

Und dennoch wissen wir nicht, zumindest ich weiß nicht (und vielleicht müssen wir es auch gar nicht wissen), warum Sportwettkämpfe so unwiderstehlich die Aufmerksamkeit und Vorstellungen von so vielen unter uns gefangenhalten. Dabei handelt es sich buchstäblich um Faszination, d. h. um einen Gegenstand, der unsere Blicke bannt und eine ungeheure Anziehung auf uns ausübt, ohne daß wir die Gründe für diese Anziehung kennen. Es ist diese Faszination, die dem Sport seine verklärende Kraft gibt, weil sie unseren Blick unausweichlich auf Dinge lenkt, an denen wir normalerweise nichts finden – wie grotesk übergewichtige Körper oder Strickmützen mit einem breiten Schirm. Doch würde diese Anziehung noch stärker, wenn wir nur ihren Grund wüßten? Ich bin mir nicht sicher, aber ich glaube, daß Genuß grundsätzlich keine Gründe oder Rechtfertigungen braucht. Wenn also der Versuch, herauszufinden, was uns am Sport so fasziniert, nicht in ein krampfhaftes Bemühen um eine Aufwertung des Sports degenerieren soll (zumal der Sport eine solche Aufwertung gar nicht nötig hat) – warum wollen wir nicht trotzdem offenbleiben für die Möglichkeit, daß der Versuch, unsere Begeisterung zu verstehen, unsere Freude noch steigern könnte? Vielleicht hilft er uns sogar bei der Frage, wie überhaupt wir den Sport loben können.

Rühmen?

Aber warum sollten Sportbegeisterte, zumindest einige von ihnen, lernen, Sportler und ihre Leistungen zu loben? Die Frage weist in zwei Richtungen: gibt es ein Bedürfnis, Sportler zu
loben, oder ist es nicht genug, daß wir ihnen mit Begeisterung
zuschauen? Ich werde später auf dieses Problem zurückkommen. Aber nehmen wir an, wir fänden einen triftigen Grund,
um Sportler zu loben, warum ist es dann so schwierig, die richtigen Worte zu finden und, mehr noch, den richtigen Ton zu treffen? Es gibt eine schriftstellerische Fähigkeit, die wir verloren
haben und die offenbar nur schwer wiederzugewinnen ist. Man
kann tatsächlich von einem ›Verlust‹ sprechen, denn selbst wenn
die Dinge genau besehen etwas komplizierter sind, ist es nicht
übertrieben zu sagen, daß die europäische Dichtung mit dem
Lob der Athleten in Pindars Oden begann. Sobald man jedoch
diese hochgestimmten Gedichte liest und zu verstehen versucht,
erkennt man, daß die Athleten, deren Lob sie singen, nicht
wirklich in den Blick geraten, zumindest nicht so, wie es der
moderne Leser erwartet. Ihre Namen und die Siege, die sie in
Korinth, Olympia, Theben und bei anderen panhellenischen
Spielen errangen, werden zwar jeweils genannt. Aber der Stoff
von Pindars Gedichten besteht aus komplizierten, mitunter sogar undurchdringlichen Konstruktionen, die sich aus Mytho-
logie und Theologie speisen, aus der Genealogie der Familien
der Athleten und der Geschichte der Stadtstaaten, aus denen
sie stammen. Die Leistung der Wettkämpfer im Stadion oder
im Gymnasium wird, wenn überhaupt, allenfalls am Rande
und in sehr allgemeinen Begriffen wiedergegeben, wie etwa in
der olympischen Ode *Für Theron von Akragas, Sieger mit dem
Wagen*:

> Den Tyndariden, den gastfreundlichen, zu gefallen
> Und der schönlockigen Helena
> Im Lobpreis des rühmlichen Akragas, ist mein Wunsch,
> wenn ich auf Therons Olympiasieg

den Hymnos errichte, der unermüdlich laufenden
Pferde Zier. [...]

Statt einer Beschreibung der tatsächlichen Vorgänge lesen wir vor allem vom Willen des Dichters, Lob zu spenden. Noch häufiger – und ganz ohne visuelle Andeutungen – tauchen die vielen Listen auf, in denen mit Sorgfalt die zahllosen Siege der heldenhaften Athleten aufgezählt werden, deren Lob Pindar singen möchte. Diagoras aus Rhodos, beispielsweise, hat nicht nur den Faustkampf in Olympia gewonnen:

> Mit [...] Blüten hat Diagoras
> Sich zweimal bekränzt, am berühmten
> Isthmos viermal, da es ihm gut ausging,
> In Nemea ein um das andere Mal und im felsigen Athen.
> [...]
> Und in Argos hat ihn der Bronzeschild kennengelernt
> und in Arkadien
> die Bildwerke und in Theben, und die regelmäßigen
> Wettkämpfe der Boiotier
> und Pellene; und in Aigina als sechsfachen Sieger;
> in Megara enthält die steinerne Tafel
> keine andere Darstellung. [...]

Religiöse Begeisterung und Feier der eigenen Kultur dominieren in Pindars Lob der Athleten aus dem fünften Jahrhundert. Diese Gesten mögen weit entfernt sein von den Gefühlen, mit denen wir heute Wettkämpfe verfolgen, aber es gibt keinen Zweifel, daß der Dichter das monumentalste Bild von den überragenden Wagenlenkern und Läufern, den unbesiegten Boxern und Ringkämpfern geben wollte, das ihm seine Sprache ermöglichte.

In scharfem und sogar deprimierendem Kontrast dazu sind alle unsere heutigen Diskurse über Sport, zumindest alle öffentlichen Diskurse – ausgenommen der Diskurs der Live-Übertragungen –, geprägt von der Tendenz, die Leistungen großer Sportler herabzusetzen oder sie einfach schlechtzumachen. Erstaunlicherweise ist die Bezeichnung des Sports als ›die schönste Nebensache der Welt‹, wie man seit langem in Deutschland sagt, noch die positivste und auch wohlwollendste allgemeine Charakterisierung, die sich finden läßt. Dabei kann sich der Ausdruck ›nebensächlich‹ nicht ausschließlich auf das Ausbleiben praktischer Funktionen des Sports in unserem Alltag beziehen. Denn Literatur, klassische Musik oder die Malerei besitzen ebenfalls keinen praktischen Bezug, doch niemand würde es wagen, Beethovens Symphonien, Pindars Oden oder Giottos Fresken ›nebensächlich‹ zu nennen. Der Verweis auf die ›Nebensächlichkeit‹ des Sports kann folglich nur eine freundliche Warnung sein, die Freuden des Sports nicht zu ernst zu nehmen.

Und es kommt noch schlimmer. Wenn Intellektuelle, selbst solche, die sich für Sport begeistern, über Sportler und Sportereignisse schreiben, dann fühlen sie sich meist verpflichtet, den Sport als Symptom höchst unerwünschter Funktionen und Tendenzen zu interpretieren. Unsere Akademiker halten sich für hip, wenn sie etwa vom Sport als einer »biopolitischen Verschwörung« sprechen, durch die Staatsgewalt auf selbstreflexive ›Mikrogewalten‹ übertragen wird. Sport zu treiben oder als Zuschauer daran teilzunehmen gilt als ein Mechanismus, durch den wir unsere individuellen Körper regulieren und unterdrücken – gegen unser eigentliches Interesse. So gut wie nie wird die beispiellose Beliebtheit des Sports in den gegenwärtigen Gesellschaften erwähnt, ohne darin zugleich ein Zeichen der Dekadenz zu sehen oder zumindest ein Zeichen der Entfremdung von einer unterstellten ›Authentizität‹ des Sports. Und selbst wo dieser aggressive Ton ein wenig zurückhaltender ist, sind sich Historiker und Sozialwissenschaftler darin einig, daß dem Sport lediglich eine untergeordnete Rolle im Kontext einer breiteren Entwicklung oder innerhalb eines umfassenderen Systems zukommt. Der große Kulturhistoriker Norbert Elias beispielsweise erklärte den Aufstieg des Sports im Zusammenhang mit dem »Prozeß der Zivilisation«, d. h. als ein Hilfsmittel zur fortschreitenden Kontrolle und Unterwerfung des menschlichen Körpers, die in der westlichen Kultur eine so wichtige Rolle spielen. Aus der Sicht des Soziologen Pierre Bourdieu dient der Sport der sozialen Differenzierung und Abgrenzung: So erfahren seine staunenden Leser, daß Tennis oder Golf Stufen eines beschleunigten sozialen Aufstiegs sein können. Obwohl die öko-nomische Bedeutung des Sports in nüchternen Zahlen ausge-drückt kaum von Belang ist (der Jahresumsatz der bekanntesten Klubs liegt unter dem eines durchschnittlichen Warenhauses), haben wir alle auch unzählige Male gehört und geglaubt, daß sportliche Wettkämpfe allein aus kommerziellen Interessen statt-finden. Und wie oft haben die Olympischen Spiele von 1936 in Nazi-Deutschland als Beweis gedient, daß der Sport längst zu einem Werkzeug politischer Manipulation geworden ist – obwohl es doch Adolf Hitler war, der sich durch den Sprung der afro-amerikanischen Athleten an die Weltspitze gedemütigt fühlte, in seiner eigenen Hauptstadt und vor den Augen der gan-zen Welt?

Im besten Fall versuchen uns Sozial- und Humanwissenschaft-ler darüber aufzuklären, daß der Sport etwas anderes sei, als es den Anschein hat. Seit den dreißiger Jahren des letzten Jahrhunderts hat der französische Anthropologe Roger Caillois ungebrochene und begeisterte Zustimmung für seine Behauptung bekommen, der Sport gehöre zur Dimension des »Heiligen« – obwohl dies letztlich nicht mehr besagt, als daß Sport eine besondere Form des Spiels darstellt und daß alle Typen des Spiels, genau wie die Zeremonien des Heiligen, einen gewissen Abstand zum Alltag besitzen. In Deutschland ist es in den vergangenen zwei Jahr-zehnten fast unmöglich geworden, irgendeinen echten Intellek-tuellen davon zu überzeugen, daß es eine substantielle Realität des Sports jenseits seiner Übertragung in den Medien gibt. Den Unterschied zwischen Nintendo und der Bundesliga zu verwi-schen gilt als Beweis für Progressivität. Und wenn ein akade-mischer Autor sich je großzügig bescheidet, dem Sport einen gewissen Realitätsgehalt und vielleicht sogar einen Funken Intel-ligenz zuzugestehen (meine Freunde sagen mir, daß solche Zu-geständnisse in den letzten Jahren stark in Mode gekommen sind), dann wird er dies in der Regel stets mit einer demonstrati-ven Geste der Herablassung tun. Zweifellos ist dies aber nicht die intellektuelle Herausforderung, die ich suche.

Warum ist das so? Warum ist es so schwierig, den Sport zu loben, und warum hängt diese Schwierigkeit so eng mit dem

Unvermögen unseres Schreibens zusammen, sich auf das zu konzentrieren, was einige von uns mit so großer Leidenschaft am Bildschirm oder im Stadion verfolgen? Es kann nicht wirklich an dem Umstand liegen, daß es sich bei allen potentiellen Gegenständen der Beschreibung um bewegliche Objekte handelt oder, um einen philosophischen Begriff zu gebrauchen, um »Zeitobjekte im engeren Sinne«. Denn die Musikkritik und die Musikwissenschaft stehen vor dem gleichen Problem und kommen besser damit zurecht. Es lassen sich aber verschiedene andere Gründe anführen. Zuerst müssen wir berücksichtigen, daß der Sport aus komplexen historischen Gründen innerhalb der westlichen Kultur kein kanonisierter Gegenstand mehr ist, wie er das zumindest im antiken Griechenland war. Dieser Prestigeverlust läßt den Wächtern der Hochkultur ein Lob des Sports als unangebracht erscheinen. Ein allgemeinerer Grund für unser Unvermögen, den Sport zu loben, liegt darin, daß wir uns als Intellektuelle verpflichtet fühlen, ›kritisch‹ zu sein – immer und überall ›kritisch‹. Die Pflicht zur Kritik ist ein Erbe der Aufklärung, als unsere Vorgänger es als ihre ausschließliche Berufung verstanden, unnachgiebig gegen die feudale Gesellschaft zu polemisieren, es ist ein Erbe, das inzwischen den Bereich der Diskurse, die wir zu führen wagen, ernsthaft eingeschränkt hat, genau wie den Horizont der Aufgaben, die wir bereit sind zu übernehmen. Vor allem aber glaube ich, daß das Problem, ernsthaft über sportliche Ereignisse zu reden, mit jener Tradition zu tun hat, die wir die ›abendländische Metaphysik‹ nennen. Sie schreibt uns nicht nur vor, unablässig scharfe Unterscheidungen zwischen dem zu treffen, was wir in unserer Welt als ›materiell‹ wahrnehmen, und dem, was wir als ›geistig‹ begreifen. ›Metaphysisch‹ zu sein heißt auch, durchgehend die geistige Seite dieser Zweiteilung hervorzuheben, für wichtiger zu erachten und für sie Partei zu ergreifen. Durch Körperbewegungen hervorgebrachte Formen und die Präsenz dieser Körper, so scheint eine machtvolle Stimme uns dauernd einzuflüstern, können einfach nicht bedeutungsvoll genug sein, um darüber zu schreiben. Wir wollen deshalb, daß die Körper der Sportler etwas Geistiges ausdrücken, eine soziale Funktion vielleicht, eine Klassenverschwörung oder, vor allem, einen ›tieferen Sinn‹. Nun ist es gewiß zu einfach, anzunehmen, man könnte sich gegen diese intellektuelle und diskursive Tradition stellen, indem man »über den Sport als solchen schreibt«. Denn was sollte mit »über den Sport als solchen schreiben« gemeint sein? Ist es nicht so, daß jede interessante Beschreibung auch die Möglichkeit einschließt, auf Redefiguren wie Abstraktion, Metonymie oder Metapher zurückgreifen zu können? Ich will mir deshalb eine sehr elementare Verpflichtung auferlegen: Ich will meine Augen und meine Gedanken konzentriert auf die Körper der Sportler richten, anstatt das Thema Sport zu verlassen, indem ich sie bloß als ›Funktion‹ oder ›Ausdruck‹ von etwas ganz anderem ›lese‹.

Wenn es uns je gelänge, diesen mächtigen Stimmen – oder sollte ich sagen: ›dem mächtigen Druck‹? – des Kanons, des ›kritischen‹ Geists und der Metaphysik zu widerstehen, dann würde uns der Sport als möglicher Gegenstand intellektueller Auseinandersetzung vor eine ebenso grundlegende wie schwierige Entscheidung stellen. Sollten wir unser Augenmerk darauf richten, was es bedeutet, Sportler zu sein und Sport zu treiben, oder sollten wir die Perspektive des Zuschauers einnehmen? Da es mir auf dem Gebiet des aktiven Sports einfach an Sachkenntnis fehlt, ich aber immer schon ein begeisterter Sportzuschauer gewesen bin, habe ich mich für die zweite Möglichkeit entschieden. Später will ich der Frage nachgehen, wie unterschiedlich ein erfahrener Sportler und ein bloßer Fan einen Wettkampf erleben. Vorerst möchte ich nur hervorheben, daß ich als Sportzuschauer keinerlei intellektuell (oder gar moralisch) erbaulichen Zwecke verfolge. Ich genieße einfach die Momente der Intensität, die solche Anlässe hervorrufen können, und bin dafür einer großen Zahl von Athleten, die ich persönlich nie kennenlernen werde, sehr dankbar. Allerdings habe ich die vage Hoffnung, daß es sich bei dem Gefühl von Verbundenheit, das mich überkommt, wenn ich meine Lieblingsmannschaften oder die von mir am meisten bewunderten Stars anfeuere, um mehr als eine naive Illusion handelt. Zumindest manchmal ist die Kluft zwischen Zuschauern und Sportlern kleiner, als wir dies mit unserem Alltagsverstand zugestehen wollen. Vielleicht sollten wir tatsächlich die

Möglichkeit nicht ausschließen, daß wir als Zuschauer plötzlich eins werden können mit manchen dieser schön verklärten Körper.

Die Frage aber, die ich bislang nicht beantwortet habe und von der ich gestehe, daß ich keine Antwort habe, ist die, warum wir uns überhaupt mit dem Lob sportlicher Schönheit beschäftigen sollen. Zweifellos teilen wir ja nicht die religiösen, politischen oder auch wirtschaftlichen Gründe, die für Pindar den Ausschlag gaben. Wer Robert Musils *Mann ohne Eigenschaften* gelesen hat, wird sich erinnern, wie besessen der Autor von der Frage war, ob man das Adjektiv »genial« für ein Rennpferd verwenden kann. Ich bin immer der Überzeugung gewesen, daß diese Besessenheit nicht nur Ausdruck eines genau umrissenen philosophischen Problems war (nämlich der Frage: »Können und sollen wir unsere Vorstellung von ›Intelligenz‹ strikt von allem Physischen trennen?«). Noch interessanter scheint mir der Eindruck (und es mag sich dabei um meinen ganz persönlichen Eindruck handeln, da es viele kompetente Leser gibt, die in dieser Bemerkung bloße Ironie sehen), daß Musil – offenbar ohne genauen Grund – ein starkes Verlangen spürte, ein Rennpferd tatsächlich »genial« zu nennen und damit das Recht zu beanspruchen, die Schönheit einer Bewegung zu loben, ohne diese Bewegung in etwas Geistiges verwandeln zu müssen. Es ist in diesem Sinn bezeichnend, daß Aristoteles in seiner *Rhetorik* bei der Einteilung der Redegattungen allein der Festrede, in der es um Lob und Tadel geht, keine spezifische Funktion zuschreibt. In seinem Kommentar, dessen Stoßrichtung wir heute als ›anti-metaphysisch‹ identifizieren können, hebt er hervor, daß wir nicht nur die Tugenden derer, die wir bewundern, loben sollen, sondern auch und vor allem ihre Erfolge selbst. Weiter bemerkt er, daß wir durch Lob den Dingen »Schönheit und Bedeutung« zuschreiben, und er beendet den Abschnitt über die epideiktische Rede mit dem Hinweis auf die Tropen der »Verstärkung« als angemessen für diese Redegattung.

Sportler werden von unseren Begeisterungsäußerungen über ihre Leistungen gewiß nichts lernen können (oder sich gar ihretwegen steigern) – sowenig, wie sich das Leben derer nicht mehr ändern kann, die wir in unseren Nachrufen ehren. Insofern ist der Gedanke verlockend, hinter dem Wunsch und dem Bedürfnis, Sportler zu loben, eine Form der Dankbarkeit zu sehen, die sich nicht ausschließlich an die richtet, denen wir sie entgegenbringen. Obwohl meine Lieblingssportler nie lesen werden, wie sehr ich sie bewundere, und obwohl ich, anders als Pindar, nicht an Götter glaube, denen ich die Lust am Zuschauen verdanke, empfinde ich Dankbarkeit – die zugleich Teil meiner Begeisterung ist – für die Freude, Sportlern zuschauen zu können.

Aber es ist nicht allein eine offene Frage – und das nicht bloß im Hinblick auf den Sport –, warum wir, gewissermaßen vorbehaltlos, loben sollen, was wir lieben. Ebenso stellt sich uns das Problem, wie wir dies tun sollen, d. h., welche Begriffe dazu angemessen und willkommen sind. Ich glaube nicht, daß diskursive »Verstärkung«, die von Aristoteles gegebene Antwort, auch für uns noch gültig sein kann. Denn es trifft zweifellos zu, daß Leser des westlichen Kulturkreises seit Beginn des 19. Jahrhunderts dem überladenen, ›intensivierten‹ Ton von Hymnen und Oden mit Mißtrauen begegnen. Mein Versuch, mich dieser Herausforderung zu stellen, geht von der These aus, daß die analytische Perspektive innerhalb der gegenwärtigen Kultur so etwas wie ein neues epideiktisches Genre geworden sein könnte. Denn ist es nicht so, daß die besten Beispiele für die Kritik von Kunst, Literatur und Musik fast ausschließlich Analysen von Bildern, Texten oder Symphonien sind, Analysen, die ihr Bezugsobjekt implizit dadurch loben, daß sie dessen Komplexität offenlegen und aufzeigen, auf wie vielen verschiedenen Ebenen diese Komplexität besteht? Dies wird im wesentlichen auch mein Ansatz für das Lob verschiedener Erscheinungsformen des Sports sein, die uns als Zuschauer begeistern. Zunächst werde ich aber versuchen, eine Entscheidung zu erläutern, die der (bisher verschwiegene) Ausgangspunkt meines Buches gewesen ist, d. h., ich werde beschreiben, was genau ich meine, wenn ich – im Unterschied zu vielen anderen, auch im Unterschied zu vielen Sportfans – den Sport ›schön‹ nenne.

Gefallen am Zuschauen

Das Problem, um das es geht, ist grundsätzlicher Natur. Wir alle wissen, daß Sportfans bestimmte Spiele, *home runs* oder Figuren beim Eiskunstlauf ›schön‹ nennen. Genau die Frage, was wir im Alltag mit dem häufig verwendeten Wort ›schön‹ meinen, war der Ausgangspunkt von Immanuel Kants Untersuchung des ästhetischen Erlebens in der *Kritik der Urteilskraft*. Allerdings würden die meisten Menschen, die Begriffe wie ›Schönheit‹ oder ›schön‹ im Zusammenhang mit Sport verwenden, ob sie nun intellektuell sind oder nicht, grundsätzlich zögern, ihre Aussage und die damit verbundene Motivation mit ästhetischem Erleben in Verbindung zu bringen. Wenn man Intellektuelle danach fragt, warum der Sport so viele Zuschauer begeistert, bekommt man meist billigste und (was noch schlimmer ist) hochnäsige Populärpsychologie vorgesetzt: »Verlierer im Alltag identifizieren sich gerne mit den Siegern im Stadion«, heißt es dann, oder »die Schlachtgesänge im Stadion sind ein einfacher Weg, aufgestaute Frustrationen abzulassen«. Weniger herablassend, aber genauso banal ist die Aussage, das Zuschauerinteresse sei in Zusammenhang mit dem vermeintlichen Übel der allgemeinen Wettbewerbssucht zu sehen, die die moderne Gesellschaft kennzeichnet. Offenbar ist es nicht nur schwierig, den Sport zu loben, sondern es besteht auch ein breiter Unwillen, anzuerkennen, daß die Begeisterung für den Sport ernstzunehmende Motive haben könnte. Die Gründe für diese Ablehnung allerdings sind leicht auszumachen.

Die gesellschaftlichen Gruppen, die sich für ›kultiviert‹ halten, weil sie gelernt haben (zu behaupten), daß sie das ästhetische Erleben als ein erhebendes Moment ihrer Existenz schätzen, glauben in der Regel auch, daß dieses Erleben an eine eng begrenzte Auswahl kanonisierter Gegenstände und Situationen gebunden ist: an Bücher, die das Gütesiegel ›literarisch‹ verdienen, an Musik, die in Konzertsälen gespielt wird, an Bilder im Museum und an Theateraufführungen an öffentlichen Bühnen. Das Festhalten an diesem eng umrissenen Kanon erfüllt wohl tatsächlich die

Funktion, ästhetisches Erleben als ein Werkzeug sozialer Abgrenzung und Auszeichnung zu behaupten, als ein Mittel der Abgrenzung, nebenbei gesagt, das die selbsternannte ›kultivierte Mittelschicht‹ heute mehr und lieber gegen die ›Neureichen‹ als gegen die sogenannten ›sozial Schwachen‹ ins Feld führt. Was Milliarden andere und ein paar Milliardäre sich anschauen und wofür sie sich begeistern, das kann in den Augen der offiziellen Kulturhüter nicht wertvoll genug sein, um als ästhetisches Erleben zu gelten. Aber wäre es nicht eine verwirklichte Utopie, wenn es ein ästhetisches Erleben gäbe, das von einer wahrhaft riesigen Zahl von Menschen geteilt würde? Zumindest erklären die bestehenden (und vergleichsweise harmlosen) Ausschlußmechanismen, die die kanonisierten Formen ästhetischen Erlebens umgeben, warum es dem ›un-kultivierten‹ Zuschauer niemals in den Sinn käme, das Verfolgen eines Sportereignisses als ästhetisches Erleben zu begreifen. Er hat verinnerlicht, daß alles ästhetische Erleben ihm grundsätzlich fremd ist und auch fremd bleiben soll. Wenn ich darauf bestehe, daß Sportereignissen zuzuschauen der klassischen Definition des ästhetischen Erlebens entspricht, so geschieht dies nicht in der Absicht, einer nichtkanonisierten Form des Genusses eine neue Aura zu geben. Der Sport braucht dieses Ehrenabzeichen nicht – zumal gerade das Fehlen allen Exklusivitätsgehabes zu seinen besonders positiven Eigenschaften gehört. Noch weniger liegt mir daran, zu bestreiten, daß Sportfan zu sein süchtig machen, Streß verursachen und etwas mit Kompensation zu tun haben kann. Ich behaupte nur, daß keiner dieser Gründe stark genug ist, darüber die Freude des ästhetischen Erlebens zu übersehen, die das wohl zentrale und sichtbarste Moment der Attraktivität des Sports ausmacht.

Kant beginnt seine Untersuchung über den Gebrauch des Wortes »schön« als eines »Geschmacksurteils« mit der Feststellung, daß »man, wenn die Frage ist, ob etwas schön sei, nicht wissen will, ob uns oder irgend jemand an der Existenz der Sache irgend etwas gelegen sei oder auch nur gelegen sein könne; sondern, wie wir sie in der bloßen Betrachtung (Anschauung oder Reflexion) beurteilen.« Das Geschmacksurteil entspringt »dem reinen uninteressierten Wohlgefallen«. Anders gesagt: Ein gutes Spiel seiner Mannschaft oder seinen Lieblingsathleten einen neuen Weltrekord aufstellen zu sehen, das wird nie einen meßbaren Gewinn für das eigene Leben abwerfen. Man mag sich in Hochstimmung befinden, wenn man nach einem aufregenden Spiel das Stadion verläßt, und sogar ein gesteigertes Selbstbewußtsein verspüren – aber wenn man sein Auto oder die U-Bahn-Station erreicht hat, ist die Aufregung so weit verflogen, daß man – wieder einmal – erkennt, daß man sich für einen sportlichen Sieg, dem man zugeschaut hat, ›nichts kaufen‹ kann. Man mag auf dem Nachhauseweg und am folgenden Tag weiter in dem außergewöhnlichen Glücksgefühl über das Erlebte schwelgen, ohne sich irgendwelche Illusionen bezüglich seiner Folgen für den eigenen sozialen Status oder das eigene Bankkonto zu machen. Andere Autoren haben diese Trennung vom Alltag als die »Autonomie« oder die »Insularität« des ästhetischen Erlebens bezeichnet. Und wenn es unmittelbar einleuchtet, daß solche »Interesselosigkeit«, »Autonomie« oder »Insularität« die Situation des Amateursportlers nicht weniger kennzeichnet als die des Zuschauers, möchte ich einen Schritt weiter gehen und behaupten, daß mitten in einem Spiel oder während eines Wettkampfs das gleiche auch für Profisportler gilt – obwohl es bei den Profis fraglos ›um einiges‹ geht. Geld mag ein starker Anreiz sein, aber Ronaldo wird kein einziges Tor nur deshalb schießen, weil er dafür 30 000 Euro Bonus bekommt, und die großen afrikanischen Marathonläufer laufen nicht deshalb so unglaublich schnell und elegant, weil sie der drohenden Armut entkommen wollen. Ganz im Gegenteil, wie wir wissen, ist die Fähigkeit, während eines Wettkampfs die damit verbundenen materiellen Aussichten zu vergessen, ein wichtiger Bestandteil der sportlichen Professionalität und ein entscheidender Faktor für den Erfolg.

In einer weiteren Betrachtung zum Geschmacksurteil hebt Kant hervor, daß es »nicht auf Begriffe gegründet, oder auch auf solche abgezweckt ist«. Zu sagen, etwas sei schön oder auch nicht, hängt ausschließlich von einem inneren »Gefühl der Lust und Unlust« ab. Wir brauchen keine begrifflichen Vorstellungen für das Geschmacksurteil, weil seine Interesselosigkeit es streng von der Welt unserer alltäglichen Praxis trennt. Und aus der Tatsache, daß diese Alltagswelt Unterschiede und Hierarchien hervorbringt, folgt umgekehrt, daß wir – frei von diesen Unterschieden und Hierarchien – erwarten, daß alle anderen mit unserem Geschmacksurteil übereinstimmen. In Kants Worten: »Folglich muß dem Geschmacksurteil, mit dem Bewußtsein der Absonderung in demselben von allem Interesse, ein Anspruch auf Gültigkeit für jedermann, ohne auf Objekte gestellte Allgemeinheit anhängen, d. i. es muß damit ein Anspruch auf subjektive Allgemeinheit verbunden sein.« Dies ist ein Anspruch, der auf einem universellen subjektiven Eindruck gründet – kein empirisches Faktum in dem Sinne, daß wir uns immer auf eine tatsächliche Übereinkunft bezüglich der Schönheit von Büchern, Konzerten oder Fußballspielen verlassen könnten. Und doch ist es, gerade in Anbetracht der Vielzahl der heutzutage gebotenen sportlichen Ereignisse, erstaunlich zu sehen (und eine weitere Bestätigung dafür, das Zuschauen beim Sport als ästhetisches Erleben zu interpretieren), wie stark und wie häufig Sportfans in ihrer Begeisterung und in der Intensität, mit der sie sich an bestimmte Ereignisse erinnern, übereinstimmen – manchmal sogar im Widerspruch zu dem, was ihre langjährige Treue zu einem bestimmten Verein oder Sportler vermuten ließ. Fragt man beispielsweise deutsche Fußballfans über fünfzig nach den größten Spielen der deutschen Nationalmannschaft, werden nahezu alle, genau wie die italienischen Fans, das dramatische Halbfinale bei der Weltmeisterschaft 1970 in Mexiko gegen Italien nennen, in dem Deutschland in der Verlängerung mit 3:4 unterlag. Nicht anders werden Leichtathletikenthusiasten mit ähnlicher Einmütigkeit den Tag, an dem Roger Bannister die Vier-Minuten-Marke über eine Meile unterbot, als einen der glorreichen Momente ihres Sports nennen, so wie Boxfans niemals die Hochspannung der drei aufeinanderfolgenden Titelkämpfe zwischen Muhammad Ali und Joe Frazier vergessen werden.

Nachdem Kant das Geschmacksurteil abgehandelt hat, begibt er sich an die Beantwortung der Frage, was es ist, worauf wir mit einem Gefühl des Wohlgefallens reagieren – und es anschließend ›schön‹ nennen, ohne einen Begriff davon zu haben. Davon ausgehend, daß eine der Aufgaben der Philosophie darin besteht, Begriffe von Dingen zu entwickeln, die im Alltagsleben keine Bestimmung brauchen, schlägt er folgende Definition vor: »*Schönheit* ist Form der *Zweckmäßigkeit* eines Gegenstandes, sofern sie, *ohne Vorstellung eines Zwecks*, an ihm wahrgenommen wird.« Es steckt ein gewisses – und mit Sicherheit beabsichtigtes – Paradox in dieser Erklärung. Einerseits entspricht es der Bedingung der Interesselosigkeit, daß wir im Alltag mit Dingen, die wir schön finden, keine weiteren Ziele verbinden. Zugleich aber scheint alles, was wir schön finden, auch einen bestimmten Zweck-Eindruck zu erzeugen (eine »Form der Zweckmäßigkeit«, heißt es bei Kant). Ein perfekt gesprungener vierfacher Axel beim Eiskunstlauf hat keinerlei Zweck im Alltag, doch vermittelt das Zusammenspiel einer Vielzahl individueller Körperbewegungen zweifellos den Eindruck von Zweckhaftigkeit. Ebendiese Beobachtung liefert die Basis für Kants Verknüpfung von Kunst und Natur: »Schöne Kunst ist eine Kunst, sofern sie zugleich Natur zu sein scheint.« Denn auch die Natur vermittelt den Eindruck von Zweckhaftigkeit, ohne einen eindeutigen Zweck zu haben. Tatsächlich scheinen sich auch im Sport Momente, die wir als ›schön‹ bezeichnen, oft ›völlig natürlich‹ zu entwickeln. Aber sollen wir deshalb einen schönen Spielzug im Basketball oder einen kraftvollen Aufschlag beim Tennis als Kunstwerke bezeichnen? Das ist gewiß möglich, aber ich habe den Eindruck, daß dies die begriffliche Analogie, die mich interessiert, überdehnen würde – zumindest, solange wir Kants Terminologie zu folgen versuchen. Denn nach Kant werden Kunstwerke mit der Absicht geschaffen, bleibende Objekte darzustellen, die als Kunstwerke wahrgenommen werden. Die meisten Sportler aber verfolgen bei ihren Auftritten ganz bestimmt keine solche Absicht, was nachdrücklich dafür spricht, daß wir das Zuschauen bei Sportereignissen als ästhetisches Erleben nicht mit der Behauptung verwechseln sollten, Sport sei Kunst. Ein guter Freund und bedeutender Kunsthistoriker erklärte mir einmal, die Bilder von Jesse Owens auf der Zielgeraden des 400-Meter-Laufs bei den Olympischen Spielen von 1936 seien ebenso schön wie die größten Skulpturen Michelangelos. Aber wir verstärken diesen

Eindruck athletischer Schönheit in keiner Weise, wenn wir die Bewegungen von Owens' Körper zu Kunstwerken erklären.

Es gibt noch eine weitere Unterscheidung in der *Kritik der Urteilskraft*, die uns helfen kann, athletische Schönheit zu analysieren und zu verstehen – und dadurch, daß wir sie analysieren und verstehen, zu loben. Ich beziehe mich dabei auf den Gegensatz zwischen dem Schönen und dem Erhabenen. Das »Schöne«, schreibt Kant, »betrifft die Form des Gegenstandes, die in der Begrenzung besteht; das Erhabene ist dagegen auch an einem formlosen Gegenstand zu finden, sofern *Unbegrenztheit* an ihm vorgestellt wird«. Weiter bemerkt er, daß das durch das Schöne hervorgerufene Wohlgefallen immer mit der Vorstellung von Qualität verbunden ist, wohingegen das durch das Erhabene hervorgerufene Wohlwollen mit Quantität verbunden ist. Das Erhabene ist das, »was schlechthin groß ist« bzw. »mit welchem in Vergleichung alles andere klein ist«. Kant illustriert die Vorstellung des Erhabenen vor allem durch »Formen der Natur in ihrem Chaos oder in ihrer wildesten regellosesten Unordnung und Verwüstung«. Das Erhabene erscheint folglich als etwas, das uns zu überwältigen droht, und es mag deshalb »das Gefühl einer augenblicklichen Hemmung der Lebenskräfte« bewirken, wohingegen das Schöne »ein Gefühl der Beförderung des Lebens bei sich führt«. Aber gibt es Sportereignisse, die man in genau diesem Sinne als »erhaben« bezeichnen würde? Mein erster Eindruck ist, daß die meisten der Augenblicke, die wir Zuschauer ersehnen, eher unter die Definition des »Schönen« fallen. Ebenso unstrittig ist, daß trotz des quantitativen Charakters das Erhabene wenig (wenn überhaupt etwas) mit den Bestenlisten im Sport und dem Aufstellen neuer Rekorde zu tun hat. Denn Rekorde gehören per definitionem zu dem, was relative Größe besitzt – und ebendeshalb nicht absolut groß ist. Dennoch haben alle Sportfans Erinnerungen an Erfolge und Ereignisse, von denen sie glauben, daß sie niemals wieder erreicht werden können. Es sind nicht die in Zahlen festgehaltenen Erfolge seiner beeindruckenden Karriere, die Babe Ruth zum berühmtesten Baseballspieler aller Zeiten machen, sondern eher die eine Minute, 1932 in einem Meisterschaftsspiel gegen die Chicago Cubs, als er einen spielentscheidenden *home run* anscheinend dadurch ›ankündigte‹, daß er genau dorthin zeigte, wo er den Ball dann aus dem Stadion schlug. Obwohl Toni Sailer, der dreifache Goldmedaillengewinner in den Ski-Wettbewerben der Olympischen Winterspiele in Cortina d'Ampezzo von 1956, mit seinen heutigen Konkurrenten nicht mithalten könnte, wird niemand, der ihn damals sah, die vollkommene Eleganz seiner Bewegungen vergessen. Vielleicht sollten wir den Begriff des Erhabenen solcher atemberaubenden Einzigartigkeit vorbehalten. Generell jedoch scheint mir das Erhabene weniger Affinität zu Phänomenen des Sports zu besitzen als der Begriff ›Schönheit‹.

Doch selbst wer sich der Behauptung anschließt, Sportereignissen zuzuschauen sei – im Sinne der Vorstellungen Immanuel Kants – ein Fall ästhetischen Erlebens, mag diesen Anspruch für recht weit hergeholt halten, und zwar für so weit hergeholt, daß er zuletzt genau die Wirkung erzielt, die ich unbedingt vermeiden wollte, nämlich die einer akademischen Aufwertung des Sports. Ist Kants größte Stärke, die nüchterne Präzision seiner Argumente, nicht eine Spur zu trocken für das Lob des Sports? Und wäre es nicht wichtig, mit noch größerer Präzision sagen zu können, worin das Besondere der Schönheit im Sport im Vergleich zu allen anderen Gegenständen ästhetischen Erlebens liegt? Es spricht gewiß einiges dafür, mit der Beschreibung des Erlebens eines sportlichen Wettkampfs aus der Sicht eines Weltklasseathleten fortzufahren. Ich werde mich an den Schwimmer Pablo Morales halten, einen dreifachen Goldmedaillengewinner bei den Olympischen Spielen von 1984 und 1992, ehemals Student der Stanford University und mittlerweile ein erfolgreicher Anwalt. Morales' Beschreibung entstand ganz spontan während einer Podiumsdiskussion zu einem Kolloquium zum Thema »The Athlete's Body«, das 1995 in Stanford stattfand, und zwar als Antwort auf die Frage, warum er noch einmal zum Wettkampfsport auf Weltklasseniveau zurückkehrte (um seine einzige Goldmedaille in einem Einzelwettbewerb zu gewinnen – die beiden anderen Medaillen gewann er in Mannschaftswettbewerben), nachdem er bereits seinen Abschied vom Wettkampfsport genommen hatte und bei den Olympischen Spielen von 1988 nicht angetreten war:

1988 verpaßte ich die Olympia-Qualifikation, doch bei den Spielen davor und danach war ich dabei. Dieses Jahr verlief für mich so enttäuschend, daß ich beschloß, mich aus dem Wettkampfsport zurückzuziehen. Als ich dann die Spiele im Fernsehen verfolgte, spürte ich zunächst keinen besonderen Reiz, bis etwas sehr Merkwürdiges geschah. Als die Übertragung der Wettkämpfe über 100 Meter Delphin begann, meiner Spezialdisziplin, in der ich um olympisches Gold gekämpft hatte, mußte ich aus dem Zimmer gehen. Ich konnte mir den Wettkampf einfach nicht anschauen. Meine Verbundenheit mit dem Ereignis war so groß, daß dabei zusehen zu müssen, unmöglich erschien. Was diese Erfahrung für mich bedeutete, wurde erst klarer, als ich die 4 x 100-Meter-Staffel der Frauen verfolgte. Nie werde ich den Lauf der großen Sprinterin Evelyn Ashford vergessen, die sich als Schlußläuferin ihres Teams von hinten vorarbeitete und für die Vereinigten Staaten die Goldmedaille gewann. Nach dem Rennen wurde eine Wiederholung gezeigt, diesmal von einer anderen Kamera aufgezeichnet, die sich auf Ashfords Gesicht unmittelbar vor, während und nach dem Lauf konzentrierte. Ihre Blicke folgten zuerst dem Oval der Laufbahn, fixierten dann das Staffelholz und danach die vor ihr liegende Kurve. Sie schien weder ein Bewußtsein der Menge im Stadion noch ein Bewußtsein des stattfindenden Wettkampfs zu besitzen, und ich bemerkte, wie sie in fokussierte Intensität versunken war. Der Effekt traf mich unmittelbar. Erneut mußte ich den Raum verlassen. Ich ging in die Küche und fing an zu weinen, ohne zu wissen, warum. Seit meiner verpaßten Qualifikation hatte ich keinen so starken Gefühlsausbruch erlebt. Doch als ich in den Stunden danach darüber nachdachte, wurde mir bewußt, was ich aufgegeben hatte: jenes Gefühl der Versunkenheit in fokussierte Intensität. Vier Jahre später war ich wieder bei den Olympischen Spielen.

Es gibt einen Moment in Pablo Morales' Schilderung, der für unser Verständnis der Faszination des Sports ebenso bedeutend wie vielleicht überraschend ist. Er macht keinerlei Unterschied zwischen seinem Erleben als Zuschauer und seinem Erleben als Sportler. Ganz im Gegenteil, erst die Bilder auf dem Fernsehschirm helfen ihm zu verstehen – zum ersten Mal, wie wir annehmen können –, was ihn dazu motiviert hatte, Sport auf Weltklasseniveau zu betreiben. »Versunkenheit in fokussierte Intensität«,

»to be lost in focused intensity« lautet seine ebenso komplexe wie treffende Formulierung, mit der er die Faszination des Zuschauers und die Verheißung des Sports für den Athleten zusammenführt. Untersucht man Morales' intuitive Äußerung genauer und bezieht sie auf Kants Vorstellungen, so ergeben sich wichtige Einsichten.

»Versunkenheit«, das erste Wort seiner Formel, kann als genaue Entsprechung zu Kants Forderung nach der »Interesselosigkeit« des Geschmacksurteils gesehen werden. Wie das Subjekt, das ein Geschmacksurteil trifft, ausschließlich seinen inneren Empfindungen des Wohlgefallens und der Abneigung folgt und dadurch jegliche Vergleichsobjekte oder begriffliche Vorstellungen ausklammert, scheint auch die Sprinterin Evelyn Ashford »weder ein Bewußtsein der Menge im Stadion noch ein Bewußtsein des stattfindenden Wettkampfs zu besitzen«. Sie ist vollkommen bei sich, losgelöst von allen Zwecken des Alltags, selbst von den Zwecken, die – extrinsisch oder intrinsisch – zu dem Wettkampf gehören, an dem sie gerade teilnimmt. Zur Beschreibung der Gefühle Evelyn Ashfords, wozu er ihre Emotionen, aber auch die Selbstwahrnehmung ihres Körpers zählt, benutzt Morales das Wort »Intensität«. Wenn wir annehmen, daß »Intensität« sich auf die Steigerung von Qualitäten und Empfindungen bezieht, die auch zuvor schon existierten, können wir sagen, daß das Erleben sportlicher Ereignisse – wie ästhetisches Erleben überhaupt – sich nicht grundsätzlich vom Erleben anderer, weniger intensiver Situationen unterscheidet. Vielmehr bringt es uns physisch und emotional an die Grenzen unserer Möglichkeiten und führt gleichzeitig zu einer gesteigerten Selbstwahrnehmung.

Schließlich nennt Morales die Intensität, in die der Sportler und der Zuschauer versunken sind, »fokussierte« Intensität. Diese Vorstellung deckt sich zunächst mit dem Zustand der »Versunkenheit« oder »Interesselosigkeit«. Wer auf etwas fokussiert ist, blendet bewußt eine Vielzahl möglicher Gegenstände aus, die seine Aufmerksamkeit erregen und ihn oder sie von dem, worauf es ankommt, ablenken könnten. Nur worauf kommt es beim Erleben von Sportereignissen wirklich an? Ich denke, das

Wort »fokussiert« deutet auf eine konzentrierte Offenheit für ein künftiges Geschehen. Etwas, dessen Realisierung nicht in unserer Macht steht und das deshalb immer ›plötzlich‹ eintritt. Und auch etwas, das sofort nach seinem Erscheinen wieder verschwindet, unwiderruflich und oft schmerzhaft für uns, weil wir es festhalten wollen. Beides, seine Plötzlichkeit wie seine Unwiderruflichkeit, machen die spezifische Zeitlichkeit des ästhetischen Erlebens aus. Kennen wir nicht alle das Verlangen, den schönen Spielzug eines Fußballspiels zurückzudrehen, und sind wir nicht ebenso mit dem Wunsch vertraut, ihn in Zeitlupe wieder und wieder zu sehen – obwohl wir aus Erfahrung wissen, daß keine Wiederholung jemals die Intensität des ursprünglichen Erlebens zurückbringen kann? Es scheint sogar Spieler zu geben, deren Spiel eine besondere Affinität zu dieser Struktur hat. Denken Sie an Diego Maradonas plötzliche Sprints durch die gegnerische Abwehr und an die minutenlangen Phasen dazwischen, in denen er gar nicht auf dem Platz zu sein schien. Oder an den einzigartigen Stürmer Gerd Müller aus den siebziger Jahren, der nur dann wirklich bei einem Spiel zu sein schien, wenn er eins seiner vielen Tore erzielte (das wohl wichtigste im Finale der Fußballweltmeisterschaft 1974 gegen die Niederlande, als Müller urplötzlich im gegnerischen Strafraum auftauchte und mit seinem Tor der hoffnungslos unterlegenen deutschen Mannschaft zum Sieg verhalf). Oder an Shaquille O'Neals mächtigen Körper, der für Sekunden unsichtbar wird, bevor er einen weiteren *slam dunk* erzielt. Und ist nicht die Spielsituation des *base-stealing* beim Baseball die verkörperte und paradoxe Institutionalisierung des Wechsels zwischen der Plötzlichkeit eines Ereignisses und der Unwiderruflichkeit seines Verschwindens? Ein Läufer auf der *base* muß den *pitcher* unweigerlich nervös machen, weil die Plötzlichkeit der möglichen Aktionen des Läufers außerhalb seiner Kontrolle liegen und unwiderruflich sind, sobald er die dritte *base* erreicht hat. In der Wahrnehmung des *pitchers* wird der Körper des Läufers buchstäblich ›wie der Blitz‹ auftauchen und verschwinden.

Implizit haben wir damit bereits die Frage beantwortet, was wir beim Erleben von Sportereignissen in fokussierter Intensität ersehnen, genießen und sogleich unwiderruflich verlieren. Das, was in diesen Momenten des Erlebens aufscheint und wieder verschwindet, ist eine Epiphanie – so befremdlich dieses Wort im Kontext unserer Untersuchung auch klingen mag (was daran liegt, daß es hauptsächlich in theologischen Diskussionen verwendet wird). Wir können deshalb von einer Epiphanie sprechen, weil wir ein plötzliches Erscheinen erleben, das an Körper gebunden ist, insofern Substanz besitzt und der Dimension der Räumlichkeit unterliegt (womit wir den von Kant gesteckten Begriffsrahmen definitiv verlassen). Wer je beim American Football einmal nahe der Seitenlinie gestanden hat, weiß, daß die Substantialität dieser Epiphanie keine Einbildung ist, da man die Spieler, sobald sie auf einen zukommen, unweigerlich als physische Bedrohung empfindet. Doch während wir die Präsenz dieser Epiphanien und ihre potentielle Gewalt körperlich spüren, versuchen wir zugleich, ihnen auf der Grundlage der für das Spiel geltenden Regeln Sinn zuzuschreiben. So sehen wir im Körper, der beim Football plötzlich über die Seitenlinie hinausschießt, einen *receiver*, der nach einem gelungenen Zuspiel ›35 Yards Raumgewinn gemacht hat‹. Ich glaube allerdings, daß der Sinn, den wir Körpern und Dingen in Situationen ästhetischen Erlebens zuschreiben, die Wucht ihrer materiellen Präsenz niemals völlig absorbieren und neutralisieren kann. Deshalb versetzen uns die Epiphanien, die wir im Zustand fokussierter Intensität erleben, oft in einen Spannungszustand des Oszillierens zwischen der Zuschreibung von Sinn und der reinen physischen Wahrnehmung.

Pablo Morales' Beschreibung legt nahe, daß das Erleben sportlicher Wettkämpfe, das »Versinken in fokussierte Intensität«, für den Sportler wie für den Zuschauer eine gleichermaßen starke Anziehungskraft hat. Ebendeshalb mußte er nach seinem Abschied vom Hochleistungssport noch einmal zurückkehren. Aber Morales sagt nicht, was diese unwiderstehliche Anziehung ausmacht – und ich wage hinzuzufügen, daß auch Kants Versuche, den Inhalt des ästhetischen Wohlgefallens zu beschreiben, zum schwächeren Teil seiner Analyse gehören. Da wir uns somit bei der Beantwortung der Frage, was athletische Schönheit so anziehend macht, weder auf philosophische noch auf sportliche Autoritäten berufen können, komme ich noch einmal auf meine – ganz und gar subjektiven – Erinnerungen und Erwartungen zurück. Meine eigenen Momente fokussierter Intensität beim Erleben eines Sportereignisses, in denen meine ganze Aufmerksamkeit sich konzentriert und meine Gefühle mich mitreißen, werden stets von einem Gefühl der Ruhe begleitet und zuletzt von diesem Gefühl abgelöst. Die Euphorie der fokussierten Intensität scheint mit einer spezifischen Form von Gelassenheit verbunden zu sein. Im Stadion fühle ich mich nicht nur weniger abgelenkt als die meiste Zeit während meiner Arbeit, sondern auch versöhnter mit der Vorstellung, daß ich die Welt um mich herum nicht kontrollieren oder manipulieren kann. Ich werde so ruhig, so gelassen und so zuversichtlich, daß ich – zumindest für einige kurze Sekunden – das Gefühl habe, loslassen zu können und die Dinge, die ich ersehne, geschehen oder auch nicht geschehen zu lassen. Große Sportler teilen dieses Gefühl der Ruhe mit den aufs äußerste konzentrierten Zuschauern, doch ist Ruhe in ihrem Fall Voraussetzung der Fähigkeit, Dinge geschehen zu machen – anstatt bloß Dinge geschehen zu lassen.

Was ich für die Seite des Zuschauers zu beschreiben versuche, ist keineswegs ein ›Lernprozeß‹. Es geht nicht darum, daß einen die bitteren Niederlagen der eigenen Mannschaft lehren, Enttäuschungen mit der sprichwörtlichen *stiff upper lip* hinzunehmen. Vielmehr geht es um die Haltung einer größeren Offenheit für die umgebende materielle Welt, eine Offenheit, die den eigenen Willen und das eigene Tun marginal und beinahe zufällig erscheinen läßt. Denn man spürt nicht nur, daß man keinerlei Einfluß auf die Schnelligkeit und die Ausdauer des Boxers hat, den man gewinnen sehen möchte. Es steht auch außerhalb der eigenen Kontrolle, wie intensiv man den Kampf erleben wird. So bleibt nun die Frage, nachdem wir versucht haben zu erklären, unter welchen – subjektiven – Bedingungen wir Sport ›schön‹ nennen, ob sportliche Ereignisse selbst ein Moment des Besonderen haben. Ein Moment also, das gewissermaßen ›von einem objektiven Standpunkt aus‹ ihre unwiderstehliche Anziehungskraft und ihre oft überwältigende Wirkung erklären könnte.

Begriff, Gedächtnis und Verklärungen

Die Aufgabe für die nächste Überlegung ist also klar: Um sagen zu können, was die verschiedenen Sportarten gemeinsam haben und was sie so anziehend macht, daß sie den Wunsch wecken, ihre Schönheit zu loben, müssen wir eine Definition vorlegen. Das mag etwas langweilig werden, läßt sich aber nicht umgehen. Zu allem Übel wird es sich auch noch als ungewöhnlich schwierig herausstellen, zu einer Definition von Sport zu gelangen. Die Schwierigkeiten erinnern in mancher Weise an das Problem, dem wir bei der Frage begegneten, warum so wenige Autoren es wagen, den Sport zu rühmen, obwohl die Gründe für diese Schwierigkeiten in beiden Fällen ganz woanders liegen. Jedenfalls wird sich der Begriff, um den es hier geht, einmal mehr als sehr schwer faßbar erweisen. Im Englischen beginnt das Problem bereits damit, daß der Gegenstand, mit dem wir uns beschäftigen, mit der Pluralform *sports* bezeichnet wird, während der Singular (*sport*) eine andere, wenn auch in weiten Teilen übereinstimmende Bedeutung hat. Das Oxford Universal Dictionary definiert *sports* als »Teilnahme an Spielen oder Übungen, besonders im Freien« sowie als »Sammelbegriff für diese Spiele«. Im Gegensatz dazu wird die Bedeutung des Singulars *sport* mit »angenehmer Zeitvertreib, Vergnügen« wiedergegeben. Ist das aber eine tatsächliche Unterscheidung? Würden wir nicht jede Form von Spielen oder Übungen für potentiell angenehm und vergnüglich halten? Und schließt der für den Plural *sports* besonders hervorgehobene Open-air-Charakter des Geschehens nicht andere Formen des Vergnügens wie etwa Schach oder Sumo-Ringen aus, die wir ebenfalls gerne zur Welt des Sports zählen würden, zumindest als Grenzfall?

Wenn wir auf der Notwendigkeit einer eindeutigen Definition beharrten, kämen wir, fürchte ich, mit der Lösung unserer Aufgabe keinen Schritt weiter. Das heißt, es gibt vermutlich keine einheitliche Definition, die sämtliche Sportarten umfaßt, an denen wir als Zuschauer Gefallen finden. Wir können nicht einmal voraussetzen, daß alle »Spiele oder Übungen«, die unter dem Oberbegriff *sports* zusammengefaßt werden, überhaupt gemeinsame Merkmale haben. Nehmen wir nur – als vier wahllos herausgegriffene Beispiele – Ringkampf, Dressurreiten, Fußball und Rugby. Wer könnte auf Anhieb, sagen wir, mehr als zwei oder drei sehr allgemeine Merkmale nennen, die alle der vier Sportarten gemeinsam haben? Es ist sicherlich klug, sich unter *sports* nicht eine Vielzahl von Einzelphänomenen vorzustellen, die alle auf einen gemeinsamen Nenner zurückgehen. Vielmehr sollten wir an ein Netzwerk von Tätigkeiten denken, die durch das verbunden sind, was Ludwig Wittgenstein »Familienähnlichkeit« genannt hat. Eine Familienähnlichkeit vereint Phänomene in einer Weise, daß typologisch benachbarte Gegenstände, zum Beispiel (b) und (c), gewisse Merkmale gemeinsam haben, wohingegen (a) lediglich gemeinsame Merkmale mit (b) aufweist, nicht aber notwendig mit (c) und (d), und (d) wiederum Merkmale mit (c) teilt, aber nicht notwendig mit (b) oder (a). Ringkampf und Rugby haben zweifellos einige Ähnlichkeiten, und Rugby und Fußball haben sich sogar aus der gleichen Familie von Spielen entwickelt. Aber abgesehen von sehr grundlegenden Merkmalen des äußeren Rahmens, in dem diese Sportarten stattfinden, gibt es nicht viel, was Ringkampf und Fußball gemeinsam hätten, und bei Dressurreiten und Rugby fällt es noch schwerer, Konvergenzen zu finden.

Nachdem wir uns (und der Welt) bewiesen haben, daß wir nicht naiv an die unvermeidliche Aufgabe herangehen, eine Definition von Sport zu entwickeln, können wir zum eigentlichen Thema zurückkehren und unsere Überlegungen vom Ende des vorherigen Kapitels wiederaufnehmen. Die Frage war dort, ich zitiere, »ob sportliche Ereignisse ein intrinsisches spezifisches Moment besitzen«, das die Attraktivität des Sports erklären könnte. Die Frage bezieht sich auf die Sicht des Zuschauers, nicht aber auf ein mögliches ›Wesen‹ des Sports. Insofern erscheint es sinnvoll, mit einer Definition von ›Ereignis‹ zu beginnen und anschließend zu fragen, worin sich ein Sportereignis von anderen Formen von Ereignissen unterscheidet. Doch hier begegnet uns gleich die nächste Schwierigkeit. Obwohl die von uns untersuchte Form des Ereignisses unter dem Begriff ›Performanz‹ in den Geistes- und Sozialwissenschaften in den vergangenen Jahrzehnten viel Aufmerksamkeit erfahren hat, sind die Definitionen, die ich in einigen neueren Lexika und Fachwörterbüchern gefunden habe, gelinde gesagt wenig aufschlußreich. Die meisten verzeichnen die gleichen drei Grundelemente der Performanz: der offensichtliche »Einsatz von Körpern«, der »Ereignischarakter« (womit die Performanz von allen schriftstellerischen Tätigkeiten abgegrenzt werden soll) und die Verwendung »materieller Objekte«. Aber ist jede Art von Performanz tatsächlich an materielle Objekte gebunden? Und ist es zwingend notwendig (oder sogar angemessen), das Schreiben auszuschließen? Und das sind noch lange nicht alle Probleme. Denn im Anschluß an diese unbefriedigenden Begriffsdefinitionen führen einige Wörterbücher eiligst eine Reihe von Beispielen für Performanz an, die allesamt den streng kanonisierten Formen der modernen Kunst entnommen sind. John Cages Klangexperimente oder Jackson Pollocks Action Painting treten dabei an die Stelle einer Definition, welche die Einträge selbst schuldig bleiben. Wer viel mit Wörterbüchern oder Lexika arbeitet, wird dieses Problem kennen: Zwischen Begriffserklärungen, die zu allgemein sind, und Beispielen, die zu speziell sind, bleibt in den Definitionen oft genau der semantische Bereich unausgefüllt, über den man sich Auskünfte versprochen hatte.

Die Enttäuschung über die vielen mißlungenen Erklärungsversuche von Performanz brachte mich zuerst auf den Begriff der ›Präsenz‹ als eine Möglichkeit, das Problem von einer ganz anderen Seite aus anzugehen. Dabei verwende ich das Wort ›Präsenz‹ in dem Sinne, den wir meinen, wenn wir sagen, ›jemand hat Präsenz‹. Diese Bedeutung betont, möglicherweise überraschend, die Dimension des Raums stärker als die der Zeit (so wie das Lateinische ›prae-esse‹, von dem sich ›Präsenz‹ herleitet, wörtlich ›vor etwas stehen‹ bedeutet). Was also präsent ist, befindet sich in unserer Reichweite, ist etwas, das wir berühren können und das wir unmittelbar mit den Sinnen wahrnehmen. Präsenz in diesem Sinne schließt natürlich die Zeitdimension nicht aus, bindet aber Zeit immer an einen Raum. Unter Präsenzbedingungen sind Bewegungen entweder schnell oder langsam, und die Zeit eines

Spiels ist nur von Bedeutung, wo auch wirklich gespielt wird. Der Versuch, über den Umweg des Performanz-Begriffs zu einer genaueren Definition von Sport zu gelangen, wird uns im folgenden zu einer Typologie führen, in der zwischen ›Präsenzkultur‹ (in dem gerade beschriebenen Sinn von ›Präsenz‹) und ›Subjektkultur‹ (in dem Sinn, in dem wir vom ›Subjekt einer Handlung‹ oder eines Satzes sprechen) unterschieden wird. Wie die meisten Typologien ist auch diese Typologie ausschließlich ein analytisches Werkzeug, d. h. ein Instrument zur Herstellung weiterer Unterscheidungen. Damit ist jedoch keineswegs impliziert, daß irgendein empirisches Objekt (in unserem Fall irgendeine historische Kultur) sich tatsächlich jemals vollständig mit den vorgestellten Bildern einer ›Präsenzkultur‹ oder einer ›Subjektkultur‹ deckt oder in der Vergangenheit gedeckt hat.

Zu Beginn möchte ich anhand von sieben typologischen Gegensätzen die unterschiedlichen Annahmen deutlich machen, mit denen sich Menschen in einer Subjektkultur und einer Präsenzkultur auf sich selbst beziehen. Denken wir, auf der Ebene des Selbstbezugs in einer Subjektkultur, an Descartes' »cogito ergo sum«. Sie postuliert ein exklusives Vertrauen auf den Geist als Garanten für die Realität der menschlichen Existenz, während der Körper (die »res extensa«, d. h. »eine ausgedehnte Substanz«, wie Descartes sagt) dafür keine Rolle spielen soll. In einer Präsenzkultur hingegen wird der menschliche Selbstbezug den Geist nicht grundsätzlich ausschließen, aber er wird dem Körper immer die größere Bedeutung zumessen. Erinnern wir uns an das Bild, mit dem Pablo Morales die Sprinterin Evelyn Ashford beschrieb. Ihm schien offenbar die Beobachtung wichtig, daß im Moment der Übergabe des Staffelholzes ihre ganze Konzentration auf ihren Körper und dessen Wahrnehmungen gerichtet war. In einer Subjektkultur, und dies ist unsere zweite Unterscheidung, verstehen sich die Menschen ausschließlich über den Geist, was zwangsläufig bedeutet, daß sie ihr Verhältnis zur materiellen Welt als distanziert und exzentrisch begreifen. Diese Haltung macht sie zu außenstehenden Betrachtern, deren Aufgabe es ist, die Objekte ihrer Umwelt zu interpretieren, d. h. ihnen ihren jeweiligen Sinn zuzuschreiben. Im Gegensatz dazu fühlen

Menschen in einer Präsenzkultur, durch ihre körperliche Existenz, daß sie Teil der materiellen Welt sind. Ein Fußballspieler käme niemals auf die Idee, zu fragen, welchen ›Sinn‹ der Ball haben könnte oder wozu er da ist. Er wird ihn einfach spielen, ihn ›streicheln‹, wie Fans manchmal bewundernd von einem Spieler sagen, und dieser sanfte Umgang wird den Ball zuletzt an eine gänzlich unerwartete Stelle auf dem Spielfeld befördern. Die Metapher, den Ball ›am Fuß kleben zu haben‹, wie wir von Spielern wie Zidane oder Beckenbauer sagen, ist in diesem Zusammenhang sehr aufschlußreich. Drittens neigen Menschen in einer Sinnkultur dazu, ausgehend von ihren Interpretationen, die Welt der Objekte umgestalten zu wollen. Die Verwirklichung dieser Absichten (oder Projekte) bezeichnen wir als ›Handlung‹, wohingegen es in einer Präsenzkultur keinen Platz für ›Handlung‹ gibt. In einer Präsenzkultur haben wir keine Ziele, die darüber hinausgehen, unsere Körper und ihre Bewegungen in bestimmte Rhythmen einzuschreiben, die wir für unveränderliche Bewegungen der Welt der Objekte halten. Wir bezeichnen dies als ›Ritual‹. Große Sportler sind nicht deshalb groß, weil sie die Regeln des Wettkampfs, in dem sie sich auszeichnen, verändern. Aufgrund der Dominanz der Präsenzdimension im Sport (was die Subjektdimension selbstverständlich nicht gänzlich ausschließt) streben sie zumeist danach, an die Grenzen dessen, was durch strenge Regeln festgelegt ist, zu gelangen – oder sie manchmal ein winziges Stück zu verschieben. Deshalb tun Organisationen wie die FIFA auch gut daran, sich im Hinblick auf die geltenden Regeln eher konservativ zu geben.

Der vierte Gegensatz mag nicht nach dem Geschmack jener Sportfans sein, die sich mit einigem Stolz ›Puristen‹ nennen – wobei ich das Gefühl habe, daß zuviel ›Purismus‹ die Faszination vieler Sportarten nachhaltig verringert. Der Gegensatz betrifft die Zurschaustellung von Gewalt. ›Gewalt‹ ist der Akt, Raum durch Körper zu besetzen oder zu blockieren, gegen den Widerstand anderer Körper. Eine Subjektkultur gesteht unter dem Begriff ›Macht‹ die Existenz von Potentialen der ›Gewalt‹ ein, vermeidet aber den tatsächlichen Gebrauch von Macht, d. h. die

Umwandlung von Macht in Gewalt. Eine Präsenzkultur hingegen ist ihrem Wesen nach gewalttätig, und viele Sportarten kämen ohne Gewalt gar nicht aus. Ich meine damit nicht nur Disziplinen wie Boxen oder Spiele wie American Football, deren zentrale Bewegungen – und deren Attraktivität – auf Gewalt basieren. Die Eleganz der größten Spieler im Basketball oder Fußball hängt ebenfalls davon ab, die potentielle Gewalt derer, die sie aufhalten wollen, zu vermeiden oder ihr auszuweichen. Was wäre Mané Garrincha, der beste Rechtsaußen aller Zeiten, ohne die Hunderte von Abwehrspielern gewesen, die ihn aufzuhalten oder sogar zu foulen versuchten – ohne Erfolg, so daß ihre Gewalt sichtbar ihr Ziel stets verfehlte? Muhammad Alis berühmtes Motto, »Schwebe wie ein Schmetterling, stich wie eine Biene«, ist die treffende Umschreibung der entsprechenden Strategie für den Boxsport.

Unterscheidung Nummer fünf besteht, kurz gefaßt, in zwei unterschiedlichen Typen von ›Ereignishaftigkeit‹. In einer Subjektkultur verstehen wir unter einem Ereignis jeden Vorfall, der uns überrascht und deshalb als Beginn einer mehr oder weniger tiefgreifenden Transformation gesehen werden kann. In einer Präsenzkultur hingegen kann ein Ereignis die Attribute von Überraschung und Innovation beinhalten, muß dies aber nicht. Jeder Anfang, selbst wenn er sich endlos oft wiederholt oder lange vorhersehbar war, besitzt in einer Präsenzkultur den Status eines Ereignisses. Wir wissen, daß die meisten Spiele der National Hockey League um Punkt 19.35 Uhr beginnen, aber das völlige Fehlen eines Überraschungsmoments macht das erste *bully* deshalb nicht weniger spannend. Die sechste Unterscheidung hat mit der Dimension des ›Spiels‹ zu tun und knüpft an das an, was ich zuvor über ›Handlung‹ in einer Subjektkultur und deren Fehlen in einer Präsenzkultur gesagt habe. Einige Klassiker der Soziologie haben ›Spiel‹ im Gegensatz zu ›Handlung‹ definiert, d. h. als ein von den Mitspielern akzeptiertes Repertoire von Verhaltensmustern, deren Teilnehmer nur vage oder gar keine Motive haben (wobei ›Motive‹ die Absichten meint, die Welt durch unser Verhalten zu verändern). Wenn allerdings gilt, daß Projekte für eine Umgestaltung der Welt eher untypisch für eine

Präsenzkultur sind, bedeutet dies nicht nur, daß eine Präsenzkultur weniger Raum für Handlung bietet. Präsenz wird auch dazu führen, daß sich die Grenzen zwischen der Ernsthaftigkeit und dem Spielerischen verwischen. Zwar können wir, von außen betrachtet, die Teilnehmer eines Sportereignisses als ›Spieler‹ bezeichnen, aber wir wissen auch, daß diese Spieler kein gutes Spiel liefern könnten, wenn sie ihre Sache nicht ernst nähmen. Tatsächlich würde es das sofortige Ende eines Spiels bedeuten, wenn auch nur einer unter den Mitspielern nicht versuchen würde, sein Bestes zu geben. »Es ist nur ein Spiel«, kann man sagen, wenn das Spiel vorbei ist. Das gleiche gilt auch für die Dimension der ›Fiktion‹, die sich, in einer Subjektkultur, aus dem Spielerischen herleitet. In einer Präsenzkultur kann es, genau wie im Sport, nichts ›Fiktives‹ geben. Selbst beim Wrestling im Stil von Hulk Hogan, dessen fiktiver Charakter für einen außenstehenden Betrachter so eindeutig ist, darf es während des aktuellen Kampfes keinen Hinweis auf das Fiktive der Situation geben. Und welchen Sinn hätte es beispielsweise zu sagen, daß Schwimmer bei einem Wettkampf nur so tun, als ob sie schnell durchs Wasser glitten? Im Sport ist alles echt – und selbst diese Behauptung ist problematisch, weil sie immer noch die Möglichkeit des Fiktiven voraussetzt. Beschließen wir unsere Typologie mit dem Vergleich der unterschiedlichen Modelle, mit denen Subjektkultur und Präsenzkultur den Begriff der Zeichen definieren und verwenden. Grundsätzlich ist der Zeichenbegriff der Subjektkultur der, den wir alle im Laufe unserer Schulzeit kennengelernt haben. Er verknüpft einen materiellen Signifikanten (eine Laut- oder Buchstabenfolge) mit einer Bedeutung, und er schließt implizit oder explizit das Objekt aus, auf das sich der Signifikant mittels Bedeutung bezieht. Das ist der Grund, warum wir sagen, Signifikanten ›tragen‹ oder ›vermitteln‹ Bedeutungen. In einer Präsenzkultur allerdings gibt es den Ausschluß der materiellen Referenten nicht. Darum wird dort auch ein anderer Zeichenbegriff benötigt, der sich zum Beispiel an der Tradition des aristotelischen Zeichenbegriffs orientieren könnte. Jener Begriff verknüpft ›Substanz‹ (das, was Raum fordert) und ›Form‹ (das, was jederzeit die Wahrnehmung dessen ermöglicht, was Raum fordert). Weil hier auf die Unterscheidung zwischen einer ›rein materiellen‹ und einer ›rein geistigen‹ Seite verzichtet wird, gelangen wir auch nicht zu einer scharfen Trennung zwischen dem Sinn und den materiellen Objekten, die Träger dieses Sinns sind. Wenn wir damit ein letztes Mal auf unsere Assoziation von Sport und Präsenzkultur zurückkommen, gilt es nachdrücklich festzuhalten, daß Sport – im Gegensatz zu vielen intellektuellen (und gänzlich unzureichenden) ›Lesarten‹ – überhaupt nichts ›ausdrückt‹. Er fasziniert uns mit Körpern in vielfältigsten Formen und Funktionen. Aber es wäre zumindest gefährlich, wenn wir versuchen würden, diese Formen zu interpretieren. Denn die Interpretationen können die Freude verringern, die wir über die Darbietung der Körperformen und ihre Veränderungen empfinden.

Am Anfang meiner Typologie stand das Versprechen, daß sie uns auf einem Umweg zu einer Definition von Performanz führen würde. Die Definition, die ich nun vorschlage, ist so einfach, daß sie Gefahr läuft, banal zu wirken. Wie dem auch sei, ich denke, es sollte nun klargeworden sein, warum ich unter Performanz jede menschliche Körperbewegung fassen möchte, solange wir sie aus dem Blickwinkel und innerhalb der Dimension der Präsenzkultur betrachten. Natürlich hatte ich immer schon unterstellt, daß wir Sportereignisse kaum je aus einem anderen Blickwinkel betrachten. Das heißt natürlich nicht, daß beispielsweise auf dem Fußballfeld keine Handlungen (im umfassenden Sinn des Wortes) stattfinden können – es bedeutet lediglich, daß sie als Handlungen aufzufassen und sich zu fragen, was ein Spieler damit bezweckt, wenn er den Ball einwirft oder schießt, nicht das Hauptanliegen des Zuschauers ist. Andererseits heißt es aber auch nicht, daß wir jede Art von Performanz unter den Begriff Sport subsumieren können. Wir müssen deshalb unsere Überlegung fortsetzen und fragen, was das Spezifische des Sports innerhalb der beinahe unendlichen möglichen Formen von Performanz ausmacht. Es gibt innerhalb der abendländischen Geistesgeschichte zwei Begriffe, die sich als mögliche Werkzeuge für diesen letzten Schritt zu einer Definition von Sport anbieten. Beide stammen aus der griechischen Antike, aber es ist schwer zu sagen, inwieweit unsere heutige Verwendung durch die Wellen der Griechenlandbegeisterung im 19. Jahrhundert geprägt wurde. Die beiden Begriffe sind *Agon* und *Arete*. *Agon* läßt sich am besten mit dem Begriff ›Wettkampf‹ übersetzen. Mit Wettkampf verbinden wir die Domestizierung potentiell gewalttätiger Kämpfe und Auseinandersetzungen durch einen institutionellen Rahmen fester Regeln. Im Gegensatz dazu bezeichnet *Arete* das Streben nach Höchstleistung, einschließlich der Möglichkeit, dabei bis an die individuellen oder kollektiven Grenzen zu gehen. Ich bin mir sehr wohl bewußt, daß die Fachleute – Fans und Sportler gleichermaßen – eher für *Agon* als für *Arete* als wichtigstes Element eines Sportereignisses stimmen würden. Wenn ich dennoch *Arete* vorziehe, ohne natürlich Elemente von *Agon* auszuschließen, dann geschieht dies aus zwei sehr unterschiedlichen Gründen. Einmal deshalb, weil ich glaube, daß das Streben nach Höchstleistung immer Wettkampf beinhaltet, wohingegen Wettkampf nicht automatisch mit einem Streben nach Höchstleistung verbunden sein muß. Insofern ist *Arete* der umfassendere Begriff. Denn selbst wenn wir ganz allein nach Höchstleistungen streben, können wir dies eigentlich immer nur im Wettkampf gegen abwesende Konkurrenten tun. Paavo Nurmi, der weltbeste Langstreckenläufer der zwanziger Jahre, war berühmt dafür, Weltrekorde in einsamen Rennen ›gegen die Stoppuhr‹ zu laufen. Und als Roger Bannister im Frühjahr 1954 als erster Läufer eine Meile unter vier Minuten lief, waren nur zwei Schrittmacher mit ihm auf der Bahn. Seine wirklichen potentiellen Konkurrenten befanden sich Tausende Meilen von Cambridge entfernt in Australien und den Vereinigten Staaten. Andererseits ist es möglich und durchaus üblich, sich mit anderen zu messen, ohne dabei bis an seine Grenzen zu gehen. In jeder Liga und bei jedem Leichtathletikfest gibt es Spiele und Wettbewerbe, deren Sieger ohne ernsthafte Konkurrenz sind. Diese Spiele und Entscheidungen bleiben zwar Wettkämpfe, aber sie zwingen die siegreiche Mannschaft oder den siegreichen Athleten nicht, ihr Bestes zu geben.

Der zweite Grund, warum mir *Arete* wichtiger als *Agon* ist, hat nichts mit unserer Diskussion über die Definition von Sport

zu tun. Er entspricht vielmehr meiner (so schwer zu realisieren-
den) Absicht, athletische Schönheit zu loben. Wenn ich den
Aspekt des ›Wettkampfs‹ dem ›Versuch, bis an die eigenen Grenzen zu gehen‹, vorziehen würde, würde ich genau jene Vorstellung vom Sport bestätigen, die bei so vielen Intellektuellen der
Hauptgrund für seinen schlechten Ruf ist. Es ist das Bild der
Sportler und ihrer Fans als ein Haufen von nägelkauenden Neu-
rotikern, ein Bild, das oft mit dem sprichwörtlichen Wettbewerb
im Kapitalismus und dem Streß, den er hervorruft, verknüpft
wird. Das Streben nach Höchstleistungen und das Erproben der
eigenen Grenzen hingegen verwirft alle Assoziationen, die eine
ausschließliche Betonung des Wettkampfcharakters hervorrufen
können, und entwirft so ein sehr viel ansprechenderes – oder
zumindest ein weniger herablassendes – Bild vom Sport. Dennoch liegt mir natürlich nicht daran, den Aspekt von *Agon* aus-
zuklammern oder ganz auszuschließen. Und zwar deshalb, weil
Arete und *Agon* bei den meisten Sportereignissen zusammenge-
hören. Mir geht es einfach darum, sicherzustellen, daß – entgegen einer gewissen diskursiven Tradition – der Begriff *Arete*
angemessen berücksichtigt wird.

Aus der Sicht des Zuschauers ist es offensichtlich, daß er mög-
lichst Sportler sehen möchte, die nicht nur ihre persönlichen
Leistungsgrenzen, sondern die Höchstgrenzen menschlichen
Leistungsvermögens überhaupt anstreben und überbieten wol-
len – sofern denn dieser Unterschied für ihn klar zu erkennen ist.
In den meisten Sportarten wollen die Zuschauer Sportler sehen,
die sie für die besten halten, ein Wunsch, der für die Amateur-
Ligen und leider auch für einige Frauensportarten ein ernstes
Problem darstellt. Frauenfußball zum Beispiel mag oft schöner
sein als das Spiel der Männer, und Frauenbasketball mag manchmal ein höheres strategisches Spielniveau erreichen als bei den
Männern. Dennoch wird ihre Attraktivität dadurch beeinträch-
tigt, daß viele Zuschauer (wobei ich zugebe, daß ich auch zu
ihnen gehöre) einfach nicht den Gedanken verdrängen können,
daß die besten Männerteams die besten Frauenmannschaften immer schlagen würden. Diese Obsession trifft gewiß nicht alle
Frauensportarten, ich denke an zahlreiche Leichtathletikdiszi-

plinen, Eiskunstlauf oder, was vielleicht überraschen mag, an Frauentennis, so wie es heute gespielt wird. Während diese Geschlechter-Asymmetrie, als eine der weniger schönen Erscheinungen des Sports, aus einer Verflechtung unseres Wunsches nach *Agon* und unserer Bewunderung für *Arete* zu erwachsen scheint und deshalb schwer zu analysieren ist, hat mir die liebste Baseball-Erinnerung meiner Freundin Eiko Fujioka aus Osaka gezeigt, daß eine bestimmte Ebene existiert – die vielleicht sogar die höchste Ebene sportlicher Leistung ist –, auf der *Arete* deutlich über *Agon* triumphiert:

> Ich erinnere mich noch, als ich vor gut fünfzehn Jahren Fan von Koji Akiyama wurde, der damals bei den Seibu Lions spielte. Es war bei einem Spiel in der Endrunde um die japanische Meisterschaft, das ich im Fernsehen verfolgte. Als Akiyama an die Reihe kam, befanden sich zwei oder drei Spieler auf den *bases*, und zwei waren ›aus‹. Das war eine großartige Chance und Notwendigkeit, einen weiteren Punkt zu machen. Dem *pitcher* gelangen zwei *strikes*. Auch beim dritten Wurf, in einer wirklich brenzligen Situation, machte Akiyama keine Anstalten, den Ball zu schlagen – und es war wieder ein *strike*. Akiyama mußte zur Spielerbank zurückgehen. In diesem so wichtigen Spiel hatte er die Chance vergeben, einen Punkt für seine Mannschaft zu machen. Ein lauter Seufzer der enttäuschten Lions-Fans ging durch das Stadion. In dieser Situation blieb Akiyama einen kurzen Moment länger auf dem Spielfeld, als nötig gewesen wäre – und schenkte dem *pitcher* ein anerkennendes Lächeln.

Akiyamas Lächeln, glaube ich, entsprang dem Gefühl eines kurzen Moments, der gegnerische *pitcher* habe das Spiel zu einem Moment höchster Perfektion geführt und damit auch ihn, den unterlegenen *batter*, zu einem Teil des Erfolgs gemacht. Akiyamas Freude darüber, an einem leuchtenden Moment von *Arete* beteiligt gewesen zu sein, war zuletzt größer als die potentielle Freude über einen Punktgewinn. Dies ist vielleicht der Grund, warum wir auf Gesichtern von Sportlern im Moment höchster athletischer Vollkommenheit manchmal ein engelhaftes Lächeln sehen, wie wir es in Stein gemeißelt von mittelalterlichen Kirchen kennen. Das Lächeln dieser Engel war der Dank für die empfangene Gabe einer höheren Kraft und für die Gnade, die von Gott kam.

Das Streben nach Perfektion und die teilnehmende Freude daran sind nur unter bestimmten Voraussetzungen möglich. Der Sportler muß sich entscheiden, in welcher sportlichen Disziplin er Höchstleistungen erreichen will, und der Zuschauer muß wissen, auf welche – potentiell konkurrierenden – Elemente des Ereignisses er seine Aufmerksamkeit lenken soll. Beide brauchen eine Richtung in ihrer Offenheit für das, was eintreten kann, aber nicht eintreten muß. Das ist der Punkt, an dem *Agon*, das Element des Wettkampfs nach bestimmten Regeln, *Arete*, das Streben nach Höchstleistung und deren Bewunderung, unterstützt. Die Regeln der einzelnen Sportarten bestimmen, explizit oder implizit, hinsichtlich welcher Ziele ein Sportler Großes erreichen kann und welche Bewegungen der Zuschauer schön finden wird. Je länger die Regeln einer Sportart unverändert geblieben sind, desto beeindruckender ist das Aufstellen eines neuen Weltrekords. In der Saison 2003/04 blieb die Fußballmannschaft von Arsenal London in der englischen Premier League ungeschlagen, und die beste Methode, diese großartige Leistung wirklich zu würdigen, war, sich klarzumachen, daß ein vergleichbarer Erfolg über einhundert Jahre zurücklag und zuletzt der Mannschaft von Preston North End in der Saison 1888/89 gelungen war.

Aber die Regeln einer Sportart übernehmen auch die Funktion, für die Bewegungen der Spieler bestimmte Ziele und mögliche Choreographien bereitzustellen, eine Funktion, die vergleichbar ist mit der Rolle der Motive, die unser Alltagshandeln bestimmen. Wenn ich von einem Händler einen Preisnachlaß auf ein bestimmtes Produkt haben möchte, brauche ich dazu keine festen Regeln – allein die Absicht gibt mir genügend Orientierung für mein Handeln. Wie aber könnte eine Gruppe junger Leute ihre körperliche Fitneß im Wettstreit gegeneinander messen, wenn sie nicht auf die Regeln für beispielsweise Rugby, Football oder Basketball zurückgreifen könnten? Darüber hinaus bestätigen und festigen die Regeln der unterschiedlichen Sportarten ihre ›Insularität‹, die sie von der Alltagswelt trennt. Denn jedes Regelwerk ist außerhalb der jeweiligen Sportart, für die es gilt, ohne Bedeutung. Außerhalb eines Leichtathletikwettkampfs macht es keinerlei Sinn, schwere Eisenkugeln durch die Luft zu werfen – nicht einmal zu Kriegszeiten. Für den Sportler und den Zuschauer hingegen ist gerade die Sinnlosigkeit solcher Regeln in der Alltagswelt die Bedingung dafür, in fokussierte Intensität zu versinken.

Schließlich erzeugt die Dimension des Wettstreits – oder einfacher ausgedrückt, die Chance zu gewinnen und die Gefahr zu verlieren – Dramatik. Es trifft sicherlich zu, daß der Wunsch, zu gewinnen und den Sieg zu feiern, einen Teil der Motivation ausmacht, mit der Sportler in einen Wettkampf gehen und die Zuschauer sie von den Rängen aus anfeuern. Dennoch glaube ich, daß dieses Motiv bisher überschätzt wurde, verglichen etwa mit der Bedeutung, die das Element des Dramatischen in der Weise hat, in der wir Sportereignisse wahrnehmen und uns an sie erinnern. Mit Hilfe eines aus der Sprache der Theologie entlehnten Begriffs können wir vielleicht sagen, daß die Dramatik des Wettstreits verantwortlich für die ›Verklärung‹ großer Sportler in unserer Wahrnehmung und unserer Erinnerung ist. Im Neuen Testament bezeichnet der Begriff ›Verklärung‹ eine Verwandlung, die auch Menschen widerfahren kann. Auf dem Berg Tabor erscheinen Jesus, Moses und Elias vor den Jüngern in verklärter Gestalt. Ihre Körper erstrahlen. In gleicher Weise lassen Sieg und Niederlage Körper und ihre Bewegungen, die beide schön sein können, aber keine intrinsische Bedeutung haben, im Licht des Triumphs oder der Tragödie erstrahlen. Anstatt diesen Körpern und ihren Bewegungen eine spezifische Bedeutung zu geben, glaube ich eher, daß Sieg oder Niederlage ihnen verschiedene Ausprägungen dessen verleihen, was in der christlichen Tradition ›Heiligenschein‹ genannt wurde – und was Intellektuelle heute als ›Aura‹ bezeichnen. Sieger und Verlierer können, sozusagen, in unterschiedlich starken Lichtern und Farben erstrahlen. Wir können das gleiche Phänomen auch mit einem Wort bezeichnen, das unter Künstlern und Intellektuellen zu Beginn des 20. Jahrhunderts populär war, und sagen, daß durch die Perspektive von Sieg oder Niederlage, von kräftezehrender

Anstrengung oder inspirierter Leichtigkeit, von Glück oder Pech, die Dimension des Dramatischen es erlaubt, uns an bestimmte Bewegungen der Sportler als ›Gebärden‹ zu erinnern. Mehr noch als ›Heiligenschein‹ und ›Aura‹ betont das Wort ›Gebärde‹ eine spezifische Prägnanz und ein einzigartiges Pathos, welche aus der Stellung resultieren, die Gebärden in einer potentiellen Erzählung einnehmen – obwohl sie gleichzeitig ihre Distanz zu narrativen Kontexten behaupten. Mit dem Wort ›Distanz‹ möchte ich den Eindruck hervorheben, daß der Status der Gebärde weder die Funktion noch die Form der betreffenden Bewegung verändert. Funktion und Form treten in Gebärden lediglich stärker hervor. Es ist, als ob ein Standbild-Effekt nicht nur die Distanz, sondern auch die Prägnanz von Gebärden hervorbrächte – und sie gleichzeitig mit der atmosphärischen Dichte bestimmter Momente aufladen könnte. Babe Ruth mag vielen, die ihn nicht kennen, auf Fotos bloß wie ein übergewichtiger Mann mittleren Alters erscheinen, mit einem fast ausdruckslosen Gesicht und einer sehr breiten Nase. Für diejenigen aber, die ihn für den größten oder zumindest den charismatischsten Baseballspieler aller Zeiten halten (und obendrein für jemanden, der für seine Unbeherrschtheit und seine Großzügigkeit berühmt war), leuchtet sein Bild, durch seinen Ruhm verklärt, wie das eines epischen Helden – und dieser Effekt färbt ebenso ab auf unsere Erinnerung an die kraftvolle Eleganz, mit der er in der Zeit nach dem Ersten Weltkrieg bis zu Beginn der dreißiger Jahre den Schläger schwang.

Der Effekt der Verklärung taucht allerdings nicht nur die Sieger in ein besonderes Licht. Nie werde ich die tiefe Traurigkeit vergessen, die ich empfand, als ich die Spieler meiner Lieblingsmannschaft im College Football, Stanford Cardinal, nach der höchsten Heimniederlage in ihrer mehr als hundertjährigen Geschichte aus dem Stadion kommen sah. Der Rhythmus ihrer Schritte schien seltsam getragen, ihre Blicke waren auf einen unerreichbar fernen Horizont gerichtet, und ihre Haare waren von Schweiß und Staub grau verklebt. Einer meiner Stars, Michael Lovelady, sah aus wie ein König, der sein Land verlassen und den schweren Weg ins Exil antreten muß. Vielleicht ist etwas

Wahres an dem Eindruck, daß in seltenen Momenten unsere Wahrnehmung und unsere Erinnerung die Körper der Sportler zu Inkarnationen elementarer existentieller Momente verklären. Genauer gesagt, zu Verkörperungen von Formen der Erfahrung, die uns so sehr vertraut sind, daß wir sie im Alltag gar nicht mehr bewußt wahrnehmen. Aber solche Verklärungen betreffen nicht nur einzelne Sportler in besonderen Momenten. Es gibt Sportler, deren Charisma geradezu darauf gründet, daß sie – gewissermaßen ›tragisch‹ – daran gescheitert sind, trotz jahrelanger großartiger Leistungen jemals einen größeren Wettbewerb zu gewinnen. Raymond Poulidor, ein französischer Radsportler aus den Sechzigern, gewann nie die Tour de France, wurde aber von den Fans mehr geliebt und verehrt als sein Rivale Jacques Anquetil, der im gleichen Zeitraum mit fünf Siegen einen neuen Tour-Rekord aufstellte. Und es gibt tatsächlich Mannschaften, deren Ruhm und Charisma untrennbar mit ihrer Erfolglosigkeit in entscheidenden Spielen verbunden ist.

Über Jahre und Jahrzehnte bringt eine solche düstere Aura Erzählungen und sogar Mythen über die Unbarmherzigkeit des Schicksals hervor. Ein Blick auf verschiedene Websites zum Thema Baseball beispielsweise vermittelt den Eindruck, daß keine andere Baseball-Mannschaft, nicht einmal die New York Yankees, es an Beliebtheit mit den Boston Red Sox aufnehmen kann. Nun hatten die Boston Red Sox seit 1918 nicht einen einzigen World-Series-Titel, keine einzige amerikanische Meisterschaft gewonnen, und der Mythos ihrer tragischen Größe beginnt genau in diesem Jahr. Denn in der folgenden Saison verkauften die Red Sox ihren besten Spieler, den damals fünfundzwanzigjährigen Babe Ruth, an die New York Yankees, die dank Babe Ruth zum erfolgreichsten Baseballklub in der Geschichte wurden. Die Baseball-Mythologie erklärt diese Tatsache natürlich als eine Art höhere Strafe dafür, daß die Red Sox nicht mit Ruth' aufbrausender Art zurechtkamen. Die Geschichte hat sogar einen eigenen Namen, der sich von dem beliebtesten der vielen Spitznamen für Babe Ruth herleitet: ›der Fluch des Bambino‹. Selbst heute ist das hochkarätig besetzte Team der Red Sox nicht fähig – und unterbewußt vielleicht auch nicht willens –

diesen Fluch zu brechen (glaubte ich im Sommer 2004, als ich diese Seiten schrieb – und nicht wissen konnte, daß die Red Sox die Meisterschaft im Oktober 2004 gewinnen würden.). Als sie im Herbst 2003 eine Reihe von Spielen gegen die Yankees absolvierten, die auf Baseball-Ebene dem Halbfinale einer Meisterschaftsrunde entsprachen, verlor ihr bester *pitcher* – und zweifelsohne einer der besten *pitcher* unserer Zeit – Pedro Martinez die Beherrschung und die Kontrolle über sein Spiel, was im Endeffekt die entscheidende Wende zum Sieg für die Yankees bedeutete. Die klingenden Namen der größten Spieler im gegenwärtigen Team der Red Sox – Pedro Martinez, Johnny Damon, Nomar Garciaparra, Manny Ramirez – kommen mir manchmal wie Verse aus einer griechischen Tragödie vor. Niemand weiß, was es für das paradoxe Charisma des Klubs bedeuten würde, sollten sie jemals wieder die World Series gewinnen. Natürlich weiß ich, daß die Gewohnheit, entscheidende Spiele oder wichtige Punkte zu verlieren, nicht zwangsläufig ein Charisma wie das der Red Sox begründet. Die deutsche Fußballmannschaft Bayer Leverkusen zum Beispiel hat es innerhalb weniger Jahre gleich mehrfach geschafft, den Meistertitel buchstäblich in den letzten Minuten der Saison zu verspielen. Statt aber besonders beliebt zu sein oder ein besonderes Charisma zu besitzen, ist das Team von Bayer Leverkusen nur zum Gespött der ganzen Nation geworden – wohingegen niemand, nicht einmal die Fans der New York Yankees, es jemals wagen würden, sich auf Kosten der Boston Red Sox lustig zu machen.

Dramatische Identitäten, sowohl kollektiver als auch individueller Art, wie der schicksalhafte ›Fluch des Bambino‹, scheinen sich über viele Jahrzehnte zu erhalten. Darüber hinaus haben wir gesehen, daß feste Identitäten, feste Regeln und feste institutionelle Strukturen zu den Voraussetzungen gehören, die das Streben nach sportlichen Höchstleistungen möglich und faszinierend machen. Dies mag zumindest teilweise erklären, warum sich viele von uns die Geschichte des Sports als eine sich durch besondere Kontinuität auszeichnende Geschichte vorstellen, die sich in einem weiten Bogen über mittlerweile zweieinhalbtausend Jahre spannt. Waren die Spiele der Antike nicht das unmit-

telbare Vorbild für die Megaereignisse der modernen Olympischen Spiele seit 1896? Und ist nicht der einzige bedeutende
Wandel, den viele Sportfans in der Geschichte des Sports sehen,
ein fortschreitender Verfall und der Eindruck, daß eine ursprüngliche Authentizität immer mehr verlorengeht? Dabei besteht die
Gefahr, die notwendige institutionelle Stabilität, die den einzelnen Sportarten eigen ist, mit einer – nicht existierenden – Kontinuität des Sports als historisches Phänomen insgesamt zu verwechseln. Als der Baron de Coubertin im späten 19. Jahrhundert
den Plan faßte, die antiken Olympischen Spiele wiederaufleben
zu lassen, tat er dies im Glauben an eine Kontinuität zwischen
antikem und modernem Sport. Dieser Glaube jedoch war nichts
weiter als ein schöner Traum, als eine der liebsten Illusionen von
Pierre de Coubertins Zeitalter, als ein Traum und eine Illusion,
die freilich eine machtvolle Realität hervorgebracht haben.
Sobald wir die Perspektive der sie begründenden Illusion ver-
werfen, d. h. die Realität der modernen Olympischen Spiele als
eines Versprechens historischer Kontinuität, beginnen wir zu
verstehen, daß die Geschichte des Sports vor allem von Diskontinuität geprägt ist.

Vergangene Welten – ohne Entwicklung

Wenn es tatsächlich zutrifft, daß die Geschichte des Sports – entgegen unserer allgemeinen und eher vagen Erwartungen – vor allem durch ihre Diskontinuität geprägt ist, wie können wir dies erklären? Hat es mit einer spezifischen Komponente des Phänomens ›Sport‹ zu tun und mit dem Begriff, unter dem wir ihn betrachten und analysieren? Im vorangegangenen Kapitel habe ich eine aus drei unterschiedlichen Elementen bestehende Definition von ›Sport‹ vorgeschlagen. Als erstes wollen wir hervorheben, daß alles, was wir ›Sport‹ nennen, eine Form von Performanz ist und daß wir unter Performanz jede Art von Körperbewegung verstehen, solange wir sie unter der Perspektive der ›Präsenz‹ betrachten. Zweitens hebt sich der Sport unter den verschiedenen Formen der Performanz dadurch hervor, daß er durch eine Haltung von *Arete* geprägt ist, was auch bedeutet, daß jede Art von Sport Wettkampfcharakter besitzt. Und drittens befindet sich alles, was wir ›Sport‹ nennen, immer in Abstand von den Interessen und Strategien, die unsere Alltagswelt ausmachen.

Jedes dieser drei Elemente des Sports kann zu einem Hindernis für historische Kontinuität werden. Wenn beispielsweise der ›Präsenz‹ in unterschiedlichen Kulturen ein jeweils anderes Gewicht beigemessen wird, folgt daraus, daß auch die Wahrnehmung von Körperbewegungen als ›Sport‹ einem ständigen Wandel unterliegt. Nicht nur (und vielleicht nicht einmal vorrangig) in dem Sinne, daß Kulturen mit starken Präsenz-Komponenten automatisch eine größere Nähe zum Sport besessen hätten. Ebenso ist denkbar (und typisch für unsere Zeit), daß ein Mangel an Präsenz-Komponenten im Alltag ein starkes Bedürfnis entstehen läßt, die Welt unter dem Blickwinkel von Präsenz zu erleben. Weiter stimme ich Jacob Burckhardts (in seiner *Griechischen Kulturgeschichte* zu findenden) Prämisse zu, daß Individuen in einigen Kulturen eine größere Tendenz zeigen, Höchstleistungen zu erbringen und sich mit anderen zu messen, als in anderen. Und wenn wir vermutlich auch niemals wirklich verstehen werden, warum der Geist von *Arete* in bestimmten geschichtlichen

Situationen auftauchte und in anderen wieder verschwand, so ist doch jedenfalls deutlich zu erkennen, daß die Bedeutung von *Arete* in der Geschichte dramatischen Wandlungen unterlag.

Die Prämisse, daß Sport stets einen Abstand zur Alltagswelt einnimmt, beruht auf spezifischen soziostrukturellen Bedingungen, deren Existenz nicht für jede historische Situation vorausgesetzt werden kann. Für unsere heutigen Gesellschaften habe ich die Position vertreten, daß die ›Insularität‹ des Sports als einer eigenständigen Welt einen Fall von ›ästhetischer Autonomie‹ darstellt und daß diese spezifische Distanz zum Alltag die Folge des Gegensatzes zwischen einer vorwiegend sinnzentrierten Umwelt und der Betonung von Präsenz in den Künsten und eben auch im Sport ist. Eine solche Sichtweise impliziert natürlich, daß es ihr genaues Äquivalent in weniger sinnfixierten Welten nicht gegeben haben kann. Wir können zwar sehr wohl gewisse Phänomene der Vergangenheit, die auf andere Art und aus anderen Gründen als der ›ästhetischen Autonomie‹ von ihrer jeweiligen Alltagswelt getrennt waren (etwa weil sie Teil einer ›Religion‹ waren oder Manifestationen einer ›Gegenkultur‹), als ›Sport‹ identifizieren. Dennoch ist es wichtig, sich bewußtzumachen, daß diese Welten, auch wenn ich sie als ›Sportwelten der Vergangenheit‹ bezeichne, nicht in dem Sinne ›Sport‹ waren, wie wir den Begriff heute verstehen.

Das alles mag nach einer unnötig komplizierten Argumentation aussehen. Aber es erklärt nicht nur, warum ich so hartnäckig auf der Diskontinuität des Sports unter geschichtlicher Perspektive bestehe. Es zwingt uns auch zu genauerem Nachdenken darüber, wie es möglich war – und zwar historisch möglich –, daß der Sport in der Kultur der Gegenwart eine so weitreichende und große Bedeutung gewinnen konnte. Aus der Sicht historischer Diskontinuität wird der heutige Sport in meiner Darstellung nicht länger als der Endpunkt einer langen teleologischen Geschichte von Fortschritt und Verfall erscheinen, der in so vielen Abhandlungen des Sports unterstellt wird. Es gibt aber allen Grund zu fragen, ob die vielen weit zurückreichenden Genealogien der einzelnen Sportarten wirklich Sinn machen. Denn unter der Voraussetzung von Diskontinuität sollte das antike griechische Boxen eben nicht als ›Vorläufer‹ dessen betrachtet werden, was wir heute ›Boxen‹ nennen. Ebensowenig ist der in den italienischen Städten der Renaissance gespielte *calcio* eine Vorform des heutigen Fußballs gewesen. Statt dessen tauchten die meisten Sportwelten und die meisten Einzelsportarten der Vergangenheit unvermittelt auf, manchmal so plötzlich wie ein Feuerwerk – und oft verlöschten sie auch beinahe ebensoschnell. Aus einer langfristigen Perspektive mag ein solches kurzes Aufflackern fast wie eine historische Anomalität aussehen.

Wenn wir aber den tatsächlichen Beginn des heutigen Sports ausmachen wollen, oder anders gesagt, wenn wir auf der Suche nach der Tradition sind, die uns zu einem besseren Verständnis gewisser Elemente des zeitgenössischen Sports verhelfen kann, dann brauchen wir dazu nicht weiter als bis ins frühe 19. Jahrhundert zurückzugehen – ganz gewiß nicht bis zu den Griechen und Römern. Die breite Kluft zwischen den verschiedenen Sportwelten der entfernten Vergangenheit und dem Beginn unserer eigenen Tradition des Sports ist der Grund, warum ich zunächst damit beginnen möchte, in einer Reihe kurzer Skizzen einige dieser Sportwelten der Vergangenheit vorzustellen, die definitiv keinen Bezug zum modernen Sport aufweisen. Ich erhebe dabei keineswegs den Anspruch, die gesamte abendländische Kultur abzudecken und schon gar nicht vergleichbare Phänomene außerhalb der europäischen Tradition. So faszinierend es zweifellos wäre, etwa die an sportliche Bewegungsabläufe erinnernden Choreographien zu untersuchen, die den rituellen Menschenopfern in einigen präkolumbianischen Kulturen Südamerikas zu unterliegen scheinen, haben wir mit dem Rückblick auf die Sportphänomene innerhalb der westlichen Geschichte bereits mehr als genug zu tun. Im Anschluß an meine Skizzen der Sportwelten in der europäischen Geschichte werde ich die Geschichte des modernen Sports seit seinen Anfängen im frühen 19. Jahrhundert als eine kontinuierliche (nicht aber teleologische) Entwicklung vorstellen. Dabei handelt es sich um eine ungemein rasante Entwicklung, die auch heute noch immer gigantischere Dimensionen anzunehmen scheint.

Aber besteht nicht ein Widerspruch darin – oder ist es nicht einfach überflüssig –, in einem Buch, das ein Lob des Sports anstrebt, historische Perspektiven aufzuzeigen? Was hat ein Kapitel über die Geschichte des Sports mit dem Genuß athletischer Schönheit zu tun? Als Antwort darauf will ich gestehen, daß mir eine Darstellungsweise vorschwebt, die Nietzsche »monumentalische Historie« genannt hat. Das bedeutet, daß ich mich ganz darauf konzentrieren werde, die unterschiedlichen und darum so faszinierenden geschichtlichen Formen der Organisation der Durchführung und des Genusses von Sportereignissen aufzuzeigen. Denn ich glaube, daß ein solches Bemühen die Hoffnung wecken kann, daß das, was wir an der Vergangenheit am meisten schätzen, eines Tages wiederkehren mag. Natürlich sind die Probleme beträchtlich, eine solche »monumentalische Historie« des Sports zu schreiben. Sie beginnen mit der Erfahrung, daß – in der Vergangenheit nicht anders als heute – Texte über den Sport kaum je die physische Realität des Sports beschreiben. Deshalb können wir buchstäblich nicht sicher sein, wie bestimmte Sportwelten der Vergangenheit ausgesehen haben (das im Mittelalter und in der frühen Neuzeit gespielte *jeu de paume*, das manchmal als ›Vorläufer des Tennis‹ bezeichnet wird, ist ein berühmtes Beispiel für dieses Problem). Nicht weniger problematisch ist die Erfahrung, daß die meisten Bücher und Essays zum Thema Sport eine Fülle von biographischen Anekdoten oder geschichtlichen Daten enthalten, aber kaum jemals eine intelligente Synthese oder auch nur eine Diskussion der verschiedenen Möglichkeiten, wie man zu solch einer Synthese gelangen könnte. Und schließlich versuchen viele Autoren, die sich mit der Geschichte des Sports befaßt haben, geradezu zwanghaft zu demonstrieren (und zu kritisieren), wie der Sport für außersportliche Zwecke und Funktionen instrumentalisiert und mißbraucht wurde. Wenn ich mich auf diese Art von Kritik nicht einstimme, dann nur deshalb, weil ich keine realistische Alternative zu diesen Vorwürfen sehe. Alle historischen Institutionen sind von anderen Institutionen ›instrumentalisiert‹ worden, die dann ihre ›Spuren‹ in ihnen hinterlassen haben. Das liegt an der Funktionsweise von Institutionen. Der Sport macht da keine Ausnahme – abgesehen von unserer Erwartung, daß er eine Ausnahme sein sollte. Doch selbst diese Erwartung ist das Ergebnis einer besonderen historischen Entwicklung, die erst viele Jahrhunderte nach dem Verschwinden der antiken Sportwelten einsetzte.

*

Wer mit dem Auto von Athen zu der kleinen Stadt Olympia etwa fünfzig Kilometer landeinwärts von der westlichen Mittelmeerküste Griechenlands fährt, und wer die kurvige Straße durch die Berge des Peloponnes nimmt, der wird rasch spüren, was für eine Anstrengung es für die Hunderte von Athleten und Zehntausende von Zuschauern gewesen sein muß, die zwischen 776 v. Chr. und 394 n. Chr. (dem allgemein akzeptierten, wenn auch keineswegs gesicherten Zeitraum der Olympischen Spiele) alle vier Jahre zu Fuß oder zu Pferd nach Olympia aufbrachen. Wenn man sich ihre körperlichen Strapazen vorstellt, für die es in der modernen Welt schlichtweg keine Entsprechung gibt, fragt man sich sofort, welche besondere Anziehungskraft diese fünf Tage gehabt haben müssen, die Sportler und Zuschauer hier am berühmtesten Zeus-Heiligtum verbrachten. Eine Antwort, die zwar modern, aber deshalb nicht weniger gültig ist, kommt fast wie von selbst, wenn man den am Zusammenfluß von Kladeos und Alpheios gelegenen Ort der Spiele mit seinen schattenspendenden alten Bäumen erreicht und man den deutlichen Kontrast zwischen diesem Ort und der dürren Landschaft spürt, durch die man mit wachsender Ungeduld mehrere Stunden lang gefahren ist. Bei den damaligen Besuchern, die unter dem Schutz eines Landfriedens Tage und Wochen zu Fuß unterwegs waren, muß dieser Kontrast wahrhaft körperliche Erleichterung und Freude ausgelöst haben. Aber im Unterschied zu den zeitgenössischen Touristen, denen der Luxus zuteil wird, abends in ihr Hotel einkehren zu können, mußten die olympischen Gäste der Antike (im wesentlichen Männer, da ansonsten nur Jungfrauen und die Priesterin der Göttin Demeter zugelassen waren) mit dem für seine Enge bekannten olympischen Areal und einer ständigen Wasserknappheit vorliebnehmen. Dennoch hielten sie diese Spiele für das Beste, das ihr Leben zu bieten hatte.

Neben Delphi, Isthmos und Nemea war Olympia einer der

traditionellen Orte, zu denen freie Männer aus den verschiedenen griechischen Staaten und Kolonien zum athletischen Wettstreit zusammenkamen, und zugleich war es der älteste und ›cha-
rismatischste‹ Schauplatz panhellenischer Spiele. Der Ruhm von
Olympia war so groß, daß – aus heutiger Sicht beinahe unvor-
stellbar – der Vierjahresrhythmus der Spiele zusammen mit dem
Namen des Siegers im ersten Wettkampf jeder Olympiade zur
gebräuchlichsten Art der Jahreszählung im antiken Griechenland
wurde. Im Unterschied zu den Zuschauern (und auch zu den
vielen Artisten, Musikern und Rednern, die ebenfalls nach
Olympia kamen, um ihre Künste am Rande der Sportereignisse
vorzuführen) mußten die Sportler mindestens einen Monat vor
Beginn der Spiele im 55 Kilometer von Olympia entfernten Elis
verbringen, um sich körperlich in Bestform zu bringen.

Die fünf Tage des olympischen Fests waren als eine dicht ge-
drängte Folge von sportlichen Wettkämpfen und religiösen Ritualen organisiert, doch wir verfehlen den besonderen Charakter
von Olympia, wenn wir zu stark auf dieser Unterscheidung beharren. Im Hinblick auf die (für uns mehr oder weniger) sportlichen Wettkämpfe war der erste Tag den Herolden, Musikern
und den Knabensportlern vorbehalten. Am zweiten Tag fanden
im U-förmigen, 384 Meter langen Stadion die Pferde- und
Wagenrennen (einschließlich der von Maultieren gezogenen
Gespanne) statt sowie der Wettkampf, der bei den Kennern als
die Königsdisziplin der Spiele galt: der Fünfkampf, bestehend
aus einem Lauf über ein ›Stadion‹, Weitsprung, Diskuswurf,
Speerwurf und Ringen. Am dritten Tag fanden alle Stadionwett-
kämpfe statt, die nicht zum Fünfkampf gehörten. Am vierten
Tag gab es in der Palästra, einem rechtwinkligen, von Arkaden
umgebenen Gebäude, die Disziplinen Ringen, Boxen und den
Pankration (eine sehr brutale, beinahe sadistische Form des
Ringkampfs) sowie im Stadion den sogenannten Waffenlauf, ein
Lauf über 384 Meter in voller Rüstung. Der vielleicht interessanteste Aspekt dieses Programms ist das völlige Fehlen von Mann-
schaftssportarten und die Tatsache, daß die Besitzer von Pferden,
Maultieren und Gespannen zu den Siegern in Olympia gehören
konnten. Weit weniger überraschend ist die offenkundige Nähe

der meisten Disziplinen zu kriegerischen Tätigkeiten. Dies zeigt nur, wie unnatürlich es gewesen sein muß, auf einer Trennung von sportlichen Ereignissen und anderen Formen alltäglicher körperlicher Betätigung zu beharren. Wir dürfen deshalb auch davon ausgehen, daß die griechischen Zuschauer der Antike die meisten Wettbewerbe auf der Grundlage ihrer eigenen Erfahrung verstanden und genossen. Mit Sicherheit waren sie ein hochkompetentes Publikum.

Unter den religiösen Ritualen, die in Olympia abgehalten wurden, waren die bedeutendsten das Opfer für die Toten am zweiten Tag, das Stier-Opfer zu Ehren des Zeus und das anschließende Festmahl aller Teilnehmer am dritten Tag sowie das Schlußbankett im Anschluß an die Ehrung aller Sieger am fünften Tag. Wir haben bereits gesehen, daß Pindars Hymnen, statt die tatsächlichen Wettkämpfe zu beschreiben, dem Wunsch entsprangen, die Augenblicke grenzenloser Freude und des Stolzes über die Siege in Olympia zu beschwören, und vielleicht auch von der Hoffnung getragen waren, den Zeichen dieser Freude und dieses Stolzes Unsterblichkeit zu verleihen:

Doch wem ein Schönes jüngst zuteil wurde
bei großem Überfluß –
aus Hoffnung fliegt empor
auf Flügeln der Mannesgedanken, sofern mächtiger ist
als Reichtum seine Bestrebung. In kurzem mehrt sich,
was Sterblichen Freude macht; so aber auch fällt es zu Boden,
von Umkehr der Erwartung ins Wanken gebracht.

Eintagswesen! [...]
Aber wenn Glanz gottgegeben kommt,
ist strahlendes Licht auf den Männern und versöhnt das Leben.

Olympische Siege erscheinen als eine Möglichkeit, der Flüchtigkeit des menschlichen Lebens zu entrinnen. Pindars (für uns vielleicht schwer nachvollziehbare) Konzentration auf die Freude und den Stolz über sportliche Siege gibt zugleich eine Antwort auf unsere Frage, welche besondere Anziehungskraft die Athleten und Zuschauer zu den panhellenischen Spielen lockte.

Ich glaube nämlich, daß diese Anziehungskraft in der Aussicht bestand, sich in der Gegenwart, in der physischen Präsenz ehrfurchtgebietender Größe zu befinden – und zwar in einem doppelten Sinn. Die Präsenz im Stadion, auf der Rennbahn, in der Palästra oder im Gymnasion bedeutete, in räumlicher Nähe dabeizusein, wenn die großen Athleten ihr Bestes gaben. In keiner anderen Kultur war die Verlockung des Sieges so groß wie im antiken Griechenland. Nur der Sieg zählte. Es gab keine Entsprechung zu unseren Silber- oder Bronzemedaillen, es gab keine Aufzeichnungen über die Leistungen der einzelnen Athleten, nur der Lorbeerkranz des Siegers zählte – genau wie bei vielen anderen, nichtsportlichen Veranstaltungen im antiken Griechenland, wie etwa das Schreiben und Aufführen von Theaterstücken oder die öffentliche Rede (Gerichtsprozesse in Griechenland waren immer auch Rednerwettstreite). Die nackten Körper der olympischen Sieger (die Vorschrift, daß sie nackt aufzutreten hatten, wurde erst einige Jahrhunderte nach Beginn der olympischen Tradition aufgestellt) glänzten in ihrem Ruhm – aber auch auf eine viel direktere Weise im reflektierenden Sonnenlicht und der feinen Schicht Öl, mit dem die Athleten ihre Körper einrieben. Das größte Privileg aber, das den olympischen Siegern gewährt wurde und das ihren Heimatstädten am meisten bedeutete, war das Recht, sich durch eine im Olympischen Heiligtum ausgestellte Skulptur zu verewigen. Der Sieg und an diesem Ort erinnert zu werden gaben den Sportlern, ihren Familien und ihren Städten ein Recht, sich eines Erfolgs zu rühmen, von dem sie buchstäblich schamlos Gebrauch machten, auf eine Weise, die mit unserer heutigen Sicht der antiken griechischen Kultur nur schwer zu vereinen ist. Alkibiades, den wir aus den platonischen Dialogen als Bewunderer des Sokrates kennen, leitet aus seinem olympischen Triumph unmittelbare politische Ansprüche ab: »Ich brachte sieben Gespanne nach Olympia, mehr als je ein anderer Bürger vor mir, und wurde nicht nur Erster, Zweiter und Vierter, sondern habe auch eine Großzügigkeit an den Tag gelegt, die meines Sieges würdig war. Denn es ist Sitte, aus solchen Dingen Ehre zu gewinnen, und daraus leiten wir politischen Einfluß ab.« Ein Sieg bei den panhellenischen Spielen verschaffte vielen Athleten auch eine lebenslange Einnahmequelle, was bedeutet, daß eine gewisse Art von Professionalismus bereits lange Zeit vor dem Ideal des ›Amateurs‹ in der abendländischen Sporttradition existierte.

Vor allem aber bedeutete die unmittelbare Gegenwart athletischer Größe in Olympia die Nähe zu den Göttern. Anders als bei dem allgegenwärtigen monotheistischen Gott, mit dessen Attributen wir alle vertraut sind, sollten die Götter der griechischen Antike an bestimmten Orten stärker gegenwärtig sein als an anderen. In Olympia zu sein verhieß Sportlern und Zuschauern eine besondere Nähe zu Zeus. Und doch wäre es meiner Meinung nach falsch, einfach zu behaupten, die panhellenischen Spiele seien ihrem Wesen nach religiöse Feste gewesen. Genauso plausibel erscheint es, die Perspektive umzukehren und die griechischen Götter – das ist durchaus ernst gemeint – als Sportler zu betrachten. Ihre göttliche Persönlichkeit war begründet in bestimmten körperlichen Eigenschaften, die man sich als Eigenschaften in Vollkommenheit vorstellte: Die Götter waren unschlagbar behende oder stark, potent oder verführerisch, ständig betrunken oder von hellster Wachheit. Aufgrund dieser herausragenden Eigenschaften befanden sie sich buchstäblich in einem unablässigen Wettstreit – und damit in unmittelbarer Nähe zu den Athleten, die sich im sportlichen Wettkampf maßen. Genau diese Übereinstimmung ist das zentrale Thema der Ilias. Die Grenze, die die griechischen Götter von den Menschen trennte, war also durchlässiger als die Grenze zwischen einem monotheistischen Gott und seinen Anbetern, so daß nach höchster körperlicher Vollkommenheit zu streben objektiv als Weg galt, näher zu den Göttern zu gelangen. Ein Sieg in Olympia konnte deshalb als göttliches Geschenk erlebt werden, das den Sieger zu einem Halbgott machte (d. h. zu einem ›Helden‹, was die ursprüngliche Bedeutung von ›Halbgott‹ ist). An einem Ort zu sein, an dem die Gegenwart der Götter sich mit den heldenhaften Leistungen der Athleten verband, in der weltlichen Immanenz einer bezaubernden Landschaft, das war das größte, ekstatischste und in gewisser Weise auch transzendentalste Erlebnis, das das Leben im antiken Griechenland zu bieten hatte. Ich spreche deshalb von einem

›transzendentalen‹ Erlebnis, weil die bloße Anwesenheit an diesem Ort das Versprechen enthielt, zu einer höheren und intensiveren Form des Daseins zu gelangen, in der allen Teilnehmern nicht nur ein Gefühl des Genusses, sondern das Gefühl grenzenloser Vereinigung mit sich und der Welt zuteil wurde, deren Teil sie, durch ihre Anwesenheit an diesem Ort, geworden waren.

*

Obwohl die Überreste des Kolosseums, das 72 n. Chr. unter Kaiser Vespasian gebaut wurde, nicht im Zentrum des heutigen Roms liegen, fällt es leicht, sich diese Gebäude inmitten des pulsierenden Alltags zur Zeit des römischen Kaiserreichs vorzustellen. Die Arena lag zwischen dem Forum Romanum, das weiterhin der Ort des öffentlichen politischen Geschehens war, der Domus Aurea, einem prächtigen, ein Jahrzehnt zuvor unter Nero erbauten Palast, und dem Circus Maximus, jener riesigen Rennbahn, die mehr als 300000 Zuschauer faßte (wir kennen sie aus dem Film *Ben Hur*, so wie wir das Kolosseum aus *Gladiator* kennen). Während das Stadion von Olympia sich in Richtung des Zeus-Tempels und der anderen Sportstätten des Heiligen Hains öffnete, bewirkte die geschlossene Form des Kolosseums eine strikte Abgrenzung nach außen und erzeugte dadurch wie die meisten modernen Stadien eine Atmosphäre von Insularität. Das Kolosseum hatte Platz für 50000 bis 60000 Zuschauer. Sie saßen, entsprechend ihrer sozialen Stellung, in unterschiedlichen Blöcken, wobei die Kaiserloge der zentrale Bezugspunkt für die Ereignisse in der Arena darstellte. Zum Stadion gehörte ein unterirdisches Netz aus Gängen und Flaschenzügen, durch das Gladiatoren, Tiere und Requisiten an die Oberfläche gelangten, und es besaß erstmals ein sogenanntes ›Velarium‹, bestehend aus großen, an Seilen befestigten Zeltplanen, die von Matrosen bedient wurden und die Zuschauer vor Sonne und Regen schützten. Einige Historiker gehen sogar davon aus, daß die Menge an besonders heißen Tagen mit parfümiertem Wasser besprüht wurde.

Anders als bei den Spielen in Olympia gab es für das Kolosseum auch nie einen festgelegten und regelmäßigen Ablauf der stattfindenden Ereignisse. Grundsätzlich hing die Ausrichtung von Spielen (*munera*) von der Freigebigkeit und den politischen Interessen eines Sponsors ab, und diese Rolle wurde vom Haushalt des Kaisers oder reichen Bürgern übernommen. Es ist gewiß wahr – und offenbar mußte man sich dafür auch nicht schämen –, daß die Finanzierung von Spielen im Kolosseum ein Mittel war, sich die Gunst des Volkes zu erkaufen. Die berühmte Formel ›Brot und Spiele‹ war dafür die angemessene Beschreibung. Hatte ein Sponsor sich entschieden, Spiele im Kolosseum auszurichten, heuerte er einen auf die Organisation von Massenspektakeln spezialisierten Veranstalter (einen sogenannten *munerarius* oder *editor*) an. Der *editor* stellte ein mehrtägiges Programm auf (die längste Veranstaltung dieser Art fand zu Beginn des zweiten Jahrhunderts statt und dauerte insgesamt 123 Tage) und ließ es durch Anschläge und Herolde überall in der Stadt bekanntmachen. Ein Tag im Kolosseum beinhaltete in der Regel unterschiedliche Veranstaltungen (alle mit musikalischer Begleitung), darunter Tierkämpfe (*venationes*), Sportwettkämpfe nach griechischem Vorbild (*athletae*), Hinrichtungen (*noxii*) und, als zentralen und attraktivsten Teil, Kämpfe zwischen einzelnen Gladiatoren oder Gladiatoren-Mannschaften. Neueren Forschungen zufolge gilt es allerdings als unwahrscheinlich, daß Christen (oder Anhänger anderer religiöser Minderheiten) je in dieser Arena den Märtyrertod starben. Die römischen Zuschauer hatten statt dessen, neben der Leidenschaft für Wagenrennen und Gladiatorenkämpfe, ein besonderes Interesse an der Inszenierung historischer Schlachten (einschließlich von Seegefechten), die gewöhnlich noch viel weitläufigere Flächen unter freiem Himmel benötigten.

Obwohl die meisten Gladiatoren Sklaven waren (es gab allerdings auch Ausnahmen), die in kasernenartigen Unterkünften neben dem Kolosseum lebten und gemeinsam trainierten, konnten diejenigen, die bereits mehrere Kämpfe gewonnen hatten, mit beträchtlichen Einnahmen rechnen – die viele dazu nutzten, sich aus der Sklaverei freizukaufen. Ihre Welt besaß offenkundig eine Aura, die durchaus mit dem heutigen Starkult im Sport verglichen werden kann. Das erklärt auch, warum bei ihrem Einzug in die Arena die individuelle Bilanz der Siege und Niederlagen verkündet wurde. Zu ihrem Überleben benötigten die Kämpfer ein hohes Maß athletischer Fähigkeiten, die im wesentlichen den militärischen Fertigkeiten jener Zeit entsprachen. Ein weiterer Punkt, in dem das tatsächliche Kriegshandwerk mit dem inszenierten Kampfgeschehen in der Arena übereinstimmte, bestand in den zahllosen Unterscheidungen bei der jeweiligen Ausrüstung der Gladiatoren. Der einfache Fußsoldat war der sogenannte *murmillo*. Die Organisatoren ließen ihn gern gegen den *thraex* antreten, der einen kleinen Schild und einen Kurzdegen trug. Weiterhin gab es den *retiarius*, ausgerüstet mit einem Dreizack und einem Netz, sowie den *pontarius*, dessen Waffen sich in besonderer Weise für den Kampf von einer erhöhten Position eigneten. Daneben gab es *secutores, scissores, provocatores, sagittarii* und zahllose weitere Begriffe für Kämpfer, Namen und Ausrüstungsgegenstände. Das einzige – vielleicht überraschende – Grundprinzip, das sich für die Gladiatorenkämpfe im Kolosseum ausmachen läßt, war eine Asymmetrie zwischen den Kämpfern. Nicht nur in dem Sinne, daß zwei Gegner so gut wie nie die gleiche Ausrüstung besaßen, sondern auch und vor allem im Hinblick auf ein bewußt kalkuliertes Ungleichgewicht bezüglich der Waffen und der körperlichen Statur der Gegner.

Im Gegensatz zu vielen anderen römischen Philosophen und Schriftstellern hatte Seneca, der wenige Jahre vor der Erbauung des Kolosseums starb, für Gladiatorenkämpfe wenig übrig. Er betrachtete es als Zeichen einer ethischen Krise, daß viele wohlhabende Römer Geld und beträchtliche Leidenschaften in den Erfolg von »nach allen Regeln der Kunst ausgebildeten Kämpfern« investierten. Mit seiner Verurteilung der Gladiatorenkämpfe als »reines Abschlachten«, das an die niedrigsten Instinkte der Menge appelliere, vertrat Seneca eine Position, die im wesentlichen unserer heutigen Sichtweise entspricht. Um so überraschender ist es, daß er dabei eine andere und ganz zentrale Faszination übersah, die Gladiatorenkämpfe auf die römischen Zuschauer ausübten und die viele andere Autoren (darunter Cicero und sogar einige der Kirchenväter) besonders hervorhoben, eine Faszination, die zudem deutliche Affinitäten zu bestimmten

Motiven von Senecas eigener stoischer Philosophie aufwies. Seneca spürte diese Nähe zweifellos, wenn er die Gladiatoren- kämpfe als Metapher für die menschliche Existenz schlechthin gebrauchte. Andererseits aber schien er blind für sie zu sein, wenn Gladiatorenkämpfe tatsächlich im Zentrum seiner Beschreibun- gen standen. Die betreffende Faszination betraf das, was die Römer »den Augenblick der Wahrheit« nannten, d. h. jenen Moment, an dem ein Kämpfer unterlag und vor den Augen der Menge den Tod erwartete. Wir alle kennen aus zahllosen Holly- woodfilmen die Szene, wenn der Kaiser entscheidet, ob der be- siegte Gladiator begnadigt wird oder von seinem Gegner den tödlichen Schlag erhält. Das Ritual ist historisch verbürgt (auch wenn die betreffende Geste des Kaisers vermutlich nicht der nach oben oder unten zeigende Daumen war). Statistische Auf- zeichnungen haben allerdings entgegen der Darstellung im Film und entgegen Senecas Vorurteil gezeigt, daß die große Mehrheit der Kämpfe (das Verhältnis lag etwa bei 1:10) mit der Begnadi- gung (*missio*) des Unterlegenen endete.

Doch wenn es nicht darum ging, den vermeintlichen Blut- durst der Menge zu stillen, nach deren Geschmack sich die Sponsoren richteten, worin kann dann der Reiz eines Rituals bestanden haben, das die Konfrontation mit der Todesgefahr in- szenierte und sie möglichst verlängerte? Zusammen mit den ungleich verteilten Ausgangsbedingungen der Kämpfer scheint der Augenblick der Wahrheit die Aufmerksamkeit des Publi- kums ganz auf den besiegten Gladiator gelenkt zu haben, der – zumindest für einige Augenblicke – vor aller Augen dem Tod entgegensah. Die Zuschauer erwarteten von ihm, daß er Hal- tung zeigte, ein Gesicht ›gefroren zu Eis‹, ›hart wie Stein‹, un- durchdringlich wie eine Maske. ›Maske‹ war genau die ursprüng- liche Bedeutung des lateinischen Wortes *persona*, und es ist nicht abwegig, sich vorzustellen, daß es im Kontext der römischen Kultur dieser Gleichmut war, die Fähigkeit, im Angesicht von extremer Gefahr, Leiden und Tod das Gesicht zu wahren, die einem Menschen Profil gab und ihm buchstäblich ›Persönlich- keit‹ verlieh. Indem er Gleichmut zeigte, konnte der unterlegene Gladiator offenbar zum wahren Helden des Kampfes verklärt werden – zu einem Helden allerdings, der anstatt zu einem Halbgott zu einem Bild für die innere Kraft wurde, die man benötigte, um der menschlichen Schwäche zu trotzen. Aus moderner Sicht wird diese Deutung, die bei heutigen Kulturhistorikern der römischen Antike breite Anerkennung zu finden scheint, die Schaukämpfe im Kolosseum nicht in rituelle Ereignisse verwandeln, die sich genausoleicht für ethische (und oftmals anachronistische) Projektionen eignen, wie es bei den Olympischen Spielen der Antike in den vergangenen Jahrhunderten der Fall war. Gleichwohl fordert unsere Sichtweise zu einer grundsätzlichen Neubewertung der Gladiatorenspiele auf, weil sie die zentrale Rolle den unterlegenen Gladiatoren (und nicht den Siegern) zuschreibt. Zudem verwandelt sie den eigentlichen Kampf in eine bloße Eröffnungssequenz, deren Ziel es ist, den ›Augenblick der Wahrheit‹ herbeizuführen, in dem der unterlegene Gladiator vor den Augen der Menge mit dem Tod konfrontiert wird. Vor allem aber hilft uns diese Sichtweise zu verstehen, daß die menschliche Existenz in der römischen Kultur als ein Leben unter steten Gefahren gesehen wurde, das nur mit einer Einstellung äußerster Gelassenheit zu meistern war.

*

Ausgehend von unserer Definition von ›Sport‹ erscheint es offensichtlich, daß kaum eine andere Epoche der abendländischen Geschichte ungünstigere Bedingungen für sportliche Ereignisse bot als das Mittelalter. Eine Kultur, in der Religion als allgemeinverbindliches Gesetz vorschreiben konnte, daß die Menschen an sechs Tagen der Woche durch körperliche Arbeit Gott preisen und dem Gott am siebten Tag durch das Werk ihrer Seelen dienen sollten, schien mit Ausnahme des offiziell geduldeten Karnevals die Entstehung von Welten auszuschließen, die sich in irgendeiner Weise von der ernsten Sorge der Christen um ihr zukünftiges Seelenheil entfernten. Zudem waren körperliche Betätigung und körperliche Anstrengung im Mittelalter eine allgegenwärtige Herausforderung, eine Notwendigkeit für die Menschen aller sozialen Schichten und konnten sich deshalb niemals in etwas Genußvolles verwandeln. Aus diesen Gründen ist es möglich, daß die Darstellungen von Ritterturnieren, dem einzigen Ritual der mittelalterlichen Kultur, das eine gewisse Nähe zum Sport aufweist, ausschließlich Produkte der literarischen Einbildungskraft gewesen sein könnten. Tatsächlich werden wir niemals wissen, ob die in den höfischen Romanen des 12. und 13. Jahrhunderts beschriebenen Turniere auch wirklich ein Teil des mittelalterlichen Lebens waren. Der einzig mögliche Ausgangspunkt, den wir haben, wenn wir zeigen wollen, daß diese literarischen Darstellungen Elemente eines tatsächlichen sportlichen Wettkampfs enthalten haben könnten, ist die These, daß die höfische Kultur des Mittelalters eine Gegenkultur war.

Die frühesten Zeugnisse höfischer Kultur sind die Liebeslieder, die wir ›Troubadourdichtung‹ nennen, und der erste historisch verbürgte Troubadour ist Wilhelm IX. von Aquitanien, ein Feudalherr im Südwesten Frankreichs, der zwischen 1071 und 1126 lebte. Wilhelm stand sein Leben lang im Konflikt mit der theologischen Autorität und der politischen Macht der Kirche, und wenn er diesen ungleichen Kampf zuletzt auch verlor, so war es dennoch bemerkenswert und vielleicht sogar einzigartig, wie er auf Maßnahmen kirchlicher Repression mit vielfältigen Gesten der Provokation reagierte, die von den zeitgenössischen Geschichtsschreibern mit öffentlichem Tadel oder stillschweigender Sympathie aufgezeichnet wurden. Dies muß der Grund gewesen sein, warum Wilhelms Name mit einer Handvoll Lieder in Verbindung gebracht wurde, die in eindeutigen Worten von amourösen Heldentaten und ehelicher Untreue sprechen. Eines dieser Lieder, das sich an die Gefährten des lyrischen Ichs richtet, beginnt mit der Ankündigung, daß »darin mehr von Verrücktheit als von Verstand« und »sehr viel von Liebe und Freude und Jugend zusammengemischt« die Rede sein wird, woran sich ein Vergleich zweier Pferde anschließt, eines wild und eines sanft, auf denen der Reiter verschiedene Arten intensiver Genüsse erlebt. Ein anderes Wilhelm IX. zugeschriebenes Lied erzählt die Geschichte eines Adligen, der als stummer Pilger verkleidet von zwei Frauen in ihre Kammer gebeten wird, wo er sie »acht Tage so oft vögelte, wie ihr hören werdet: einhundertachtzig Mal«, bis zur völligen (männlichen) Erschöpfung – woraufhin die Damen die Lebensgeister des falschen Pilgers dadurch wieder belebten, daß sie die Krallen einer roten Katze über seinen Rücken zogen. Abgesehen von der rekordverdächtigen Zahl habe ich natürlich nicht vor zu behaupten, daß wir diese Beschreibung einer doppelten physischen Betätigung (in der sich der Vortrag des Lieds mit einzigartigen erotischen Heldentaten verbindet) als mittelalterliche Entsprechung des Sports verstehen sollten.

Vielmehr geht es mir darum, den grundlegenden Abstand der höfischen Kultur zu moralischem Ernst und kirchlicher Kontrolle hervorzuheben. Anders gesagt, ich möchte den Status einer Gegenkultur hervorheben, der wohl das Selbstverständnis der Troubadourdichtung ausmachte. Für die höfische Kultur bedeutete dieser Abstand das strukturelle Äquivalent zur Autonomieforderung der modernen Kunst. Zugleich erscheint mir die Perspektive der Gegenkultur unverzichtbar, wenn wir die großartigen Beschreibungen von Ritterturnieren verstehen wollen, die wir ein knappes Jahrhundert nach Wilhelm IX. in den Romanen von Chrétien de Troyes finden und die wie sportliche Wettkämpfe erscheinen. Wir werden nie mit Sicherheit sagen können, ob es ein Turnier, wie es beispielsweise in Chrétiens *Lancelot* beschrieben wird, in der mittelalterlichen Welt tatsächlich gegeben hat. Aber daß der Text davon erzählt, wie Lancelot einen Zweikampf nach dem anderen unter den Augen und zu Ehren von Guinièvre, seiner Angebeteten, der untreuen Gattin von König Artus, gewinnt, gibt uns die Gewißheit, daß Chrétien und diejenigen, die seine Texte lasen oder ihrem Vortrag lauschten, zumindest von einer Welt träumten, in der körperliche Kraft und militärische Fähigkeiten durch die Leidenschaft der Liebe zu etwas verklärt werden konnten, das tatsächlich unserer heutigen Vorstellung von Sport entsprochen hätte:

> In der Zeit, als die Königin außerhalb des Landes war, hielten, so viel ich weiß, die Damen und Fräulein, denen Rat und Stütze fehlte, eine Versammlung ab und erklärten, daß sie sich möglichst bald verheiraten wollten. Bei dieser Beratung beschlossen sie, einen Wettkampf und ein Turnier abzuhalten. [...] In nahen und fernen Landen ließen sie dies bekannt geben und den Tag des Wettkampfes für einen noch ziemlich fernen Zeitpunkt ausrufen, damit mehr

Leute daran teilnehmen könnten. Während der Frist, die sie gesetzt hatten, kehrte die Königin zurück. [...]

Die Menge versammelte sich, die Königin und alle Damen, Ritter und andere, und auf allen Seiten, links und rechts, waren Knappen zu finden. Dort, wo das Turnier stattfinden sollte, war eine große, hölzerne Tribüne aufgeschlagen, da die Königin, die Damen und Mädchen sich dort aufhalten sollten: nie zuvor sah man eine so schöne, so lange und so gut aufgebaute Tribüne. [...]

Die Kämpen ziehen zum Lanzenstechen los; sie finden genügend Mitstreiter, die auch zum Lanzenstechen gekommen waren. Die anderen schicken sich ihrerseits an, andere Heldentaten zu begehen. Wiesen, Äcker und Brachen sind so voller Ritter, daß man ihre Zahl nicht schätzen kann, so viele waren dort versammelt. [...] Als Lancelot in dem Kampf erscheint, wog er allein zwanzig der Besten auf. Er beginnt so gut zu kämpfen, daß niemand den Blick von ihm wenden kann, wo er auch immer sein mag. [...] Die Königin zieht ein erfahrenes, kluges Mädchen beiseite und sagt zu ihr: »Fräulein, Ihr müßt eine Botschaft übernehmen, und Ihr führt sie schnell, in kurz gefaßten Worten aus. Ihr steigt von dieser Tribüne hinunter und geht mir zu dem Ritter, der den roten Schild trägt.«

Sollten Zweikämpfe unter Rittern jemals im Sinne eines ›sportlichen‹ Wettkampfs geführt worden sein, so muß der Aufwand an Kraft und Körperkontrolle immens gewesen sein. Denn das Aufeinandertreffen zweier Ritter zu Pferd erforderte eine genaue Koordination von Geschwindigkeit, Ziel, Kraft, Ausdauer und vor allem Gleichgewicht. Doch ist der interessanteste Aspekt bei der mittelalterlichen Darstellung von Ritterturnieren die vermeintliche Rolle der Damen auf der Tribüne. Sie sind nicht einfach nur Zuschauerinnen des Geschehens, sondern gleichzeitig auch der dem Sieger in Aussicht gestellte Preis. Die »Freuden des Hofes«, wie Chrétien de Troyes es wiederholt nennt, eine Freude, die vermutlich durch Ritterturniere und andere höfische Veranstaltungen unterstützt wurde, muß folglich in einer Mischung aus Stolz über die sportliche Leistung und der Verheißung erotischer Wonnen bestanden haben. Darüber hinaus mag sie ihren Ursprung auch dem Reiz einer seltenen, nur vorübergehend der kirchlichen Autorität abgetrotzten Freiheit verdanken.

Doch war die Realität der mittelalterlichen Ritterspiele vermutlich weniger genußvoll. Alles, was wir historischen Fakten nach über die Turniere zu Lebzeiten von Chrétien de Troyes in der zweiten Hälfte des 12. Jahrhunderts wissen, ist, daß in jener Zeit unter den Aristokraten im Nordwesten Frankreichs der Brauch entstand, gemeinsam mit Freunden und Bekannten Gefechte zu Pferde auszutragen. In Form und Funktion glichen diese Kämpfe aber eher militärischen Übungen als den schönen Beschreibungen der zeitgenössischen Literatur. Was die zwischen Freunden zum Spaß ausgetragenen Gefechte allerdings von echten Kämpfen unterschied, war eine Regel, die den Gebrauch von Waffen hinter einer markierten Linie zu beiden Seiten des Kampfplatzes untersagte. Doch war diese Regel durchaus auch mit militärischem Exerzieren vereinbar, genau wie die Erlaubnis, die im Kampf erbeuteten Pferde sowie die Rüstungen der besiegten Ritter zu behalten. Wir wissen, daß Guillaume le Maréchal, der unter seinen Zeitgenossen berühmteste Teilnehmer solcher Schaukämpfe, sich durch seine Siege bei Wettkämpfen ein kleines Vermögen erwarb. Aber sollen wir ihn deshalb als Profisportler bezeichnen? Historiker sehen in ihm eher ein Mitglied des niederen Adels, dem dank seiner außergewöhnlichen Fähigkeiten als Ritter ein ökonomischer und gesellschaftlicher Aufstieg gelang.

Wie fern oder nah auch immer eine historische Gestalt wie Guillaume le Maréchal dem Status eines ›Sportlers‹ gewesen sein mag, wir wissen, daß seit dem 13. Jahrhundert die ›Erinnerung‹ an das Ritterturnier, an ein Ritual, das vielleicht niemals wirklich existiert hat, vor allem in den aufkommenden Städten eine nostalgische Sehnsucht auslöste, solche Turniere als kostspielige und zunehmend aufwendigere Schauspiele zu inszenieren. Die glänzenden Rüstungen, die bis heute einen beträchtlichen Raum in vielen Museen einnehmen, wurden zu diesem Zweck hergestellt – aber sie hatten nie irgendeine militärische Funktion und waren zweifellos viel zu schwer für jede Form des sportlichen Wettkampfs. Es gab allerdings wenige Ausnahmen, bei denen die nostalgische Vorstellung das, was normalerweise reines Schauspiel und Choreographie war, in einen echten Wettkampf verwandelte. Wir wissen von wenigen ›Rittern‹ (vorwiegend in Spanien und Frankreich im 14. und 15. Jahrhundert), die öffentlich bekanntgaben, eine bestimmte Brücke oder ein Tor (meist ›zu Ehren einer Dame‹) gegen jeden Angreifer ›verteidigen‹ zu wollen, und die dann tatsächlich einige Zweikämpfe zu bestehen hatten. Vielleicht besteht sogar eine entfernte Verwandtschaft zwischen dieser fixen Idee, Brücken und Tore zu ›verteidigen‹, und dem Ursprung des Spiels *jeu de paume*, das Sporthistoriker als den ›Vorläufer des Tennis‹ ausgemacht haben. Man nimmt an, daß es zuerst von Mönchen gespielt wurde, die einen Ball mit der Handfläche (daher der Name *jeu de paume*) durch einen Bogen ihres Klosters zu schlagen versuchten, während andere Mönche diesen Bogen als das ›Tor‹ gegen die Angreifer ›verteidigten‹.

*

Die spielerische Nachahmung solcher vorgestellter (oder echter) Wettkämpfe mit Hilfe von Choreographien, die das Grundmuster des Wettstreits übernahmen (ohne eine tatsächliche physische Konfrontation zu erlauben), wurde im späten Mittelalter und in der frühen Neuzeit zu einem populären Phänomen. Vieles von dem, was wir heute mit dem vagen Begriff ›Ritterturnier‹ bezeichnen, ist das Resultat einer solchen Nachahmung. Obwohl sich keine durchgehende historische Linie von diesen Spielen bis zu unseren heutigen Mannschaftssportarten ziehen läßt, scheinen doch einige Merkmale des modernen Mannschaftssports erstmals in diesem (meist doppelt besetzten) historischen Kontext aufzutreten. Ein typisches Beispiel dafür ist der sogenannte *calcio*, ein Spiel, das unter den florentinischen Aristokraten während der Zeit der Medici-Herrschaft sehr beliebt war. Es fand in der Karnevalszeit statt und wurde von zwei Mannschaften mit jeweils 27 Spielern auf den Plätzen von Florenz gespielt. Das Spiel, das in der Variante des Wettkampfs (*calcio diviso*) und des Schauspiels (*calcio a livrea*) existierte, hatte vermutlich eine gewisse Ähnlichkeit mit dem heutigen Rugby. Zumindest deuten zeitgenössische Bilder und Beschreibungen des florentinischen *calcio* dies an:

Sobald er den Ball mit den Händen gefangen hatte,
rannte er mit einer solchen Kraft und Geschwindigkeit über den
Platz,
daß alle, denen es vergönnt war,
diesen prachtvollen jungen Mann zu sehen, gebannt zuschauten:
Und dann trat er den Ball mit solcher Wucht,
daß er nur eine Armeslänge vor der Torlinie niederging.

Während der florentinische *calcio* ein Zeitvertreib für die Adligen und Reichen war, gab es verwandte Formen des körperlichen Wettstreits in bestimmten Gruppen (darunter auch die ›Verteidigung‹ oder die ›Erstürmung‹ von Brücken und Toren), wobei die einzelnen Mannschaften bestimmte Stadtteile, gesellschaftliche Gruppen oder Zünfte repräsentierten. Anstatt selbst teilzunehmen, traten viele Aristokraten als Förderer einzelner Mannschaften oder Sportler auf, was in der Regel bedeutete, daß sie entsprechend hohe Wetten auf ihre Favoriten abgeschlossen hatten.

Dieses ambivalente Verhalten der Aristokraten – bei dem eine ›uneigennützige‹ Begeisterung für Spiele und Sportler mit oft beträchtlichen Wetteinsätzen einherging – war eine entscheidende Voraussetzung für die Entstehung des professionellen Boxsports in England. Tatsächlich war das Boxen der erste voll professionalisierte Sport der Neuzeit. Es existiert sogar eine klare genealogische Beziehung zwischen dem heutigen Profiboxen und der englischen Boxszene des 18. Jahrhunderts, womit das Boxen die einzige bedeutsame Ausnahme von der allgemeinen Regel bildet, nach der die historische Entwicklung des modernen Sports nicht vor Beginn des 19. Jahrhunderts einsetzte. Trotz dieser besonderen institutionellen Kontinuität war das Boxen im 18. und frühen 19. Jahrhundert allerdings ungleich brutaler als heutige Profikämpfe. Die Gegner schlugen und verteidigten sich mit den bloßen Fäusten, so daß Schnitte und Verletzungen der Hände oft die Niederlage besiegelten. Vor allem aber endete ein Kampf nur mit dem K. o. oder der völligen Erschöpfung eines (oder auch beider) Kontrahenten. Kämpfe, die über fünfzig Runden gingen und mehrere Stunden dauerten, waren keine Seltenheit. Dennoch waren die sozialen und kulturellen Ähnlichkeiten mit der Welt des heutigen Boxens auffällig.

Seit seinen modernen Anfängen hat dieser Sport sowohl die Reichen und Eleganten als auch die andere Seite des sozialen Spektrums, die Kriminellen und Außenseiter, angezogen. Seit seinen modernen Anfängen also hat es im Boxsport die unterschiedlichsten illegalen Manipulationen gegeben (man kann nie wirklich sicher sein, ob es bei einem Kampf Absprachen gegeben hat, obwohl dies andererseits auch zur Faszination dieses Sports beiträgt), während er gleichzeitig zu hochfliegenden philosophischen Betrachtungen inspiriert hat. Das Boxen hat immer große Zuschauermengen angezogen, und es hat bei diesen Zuschauern auch immer den Wunsch ausgelöst, selbst zu boxen. Die Flut an Bilddokumenten, die wir über die Frühzeit des modernen Boxens besitzen, spiegelt diese Spannungen und Gegensätze in beeindruckenden Details wider. Die Bilder unterstreichen häufig die soziale und räumliche Nähe von Boxen, Prostitution und Kriminalität. Sie heben die Gegensätze zwischen der unterschiedlichen sozialen Herkunft der Zuschauer nachdrücklich hervor. Und sie schwelgen eindeutig mehr in der Darstellung der geschundenen und blutenden Körper nach dem Kampf als in der Verherrlichung der makellosen Körper vor der ersten Runde im Ring. Selbst das Bild des ›Gentleman-Boxers‹ mit seinem intellektuellen Anstrich war bereits im ersten Jahrhundert des Boxsports voll ausgeprägt. Der erste Boxer dieses Typs war Jem Belcher, der zu Beginn des 19. Jahrhunderts mehrfach Weltmeister im Schwergewicht war:

Belcher war eine einnehmende Erscheinung, vornehm und auffällig ruhig in seinem Auftreten. Bekleidet verriet nichts seine außergewöhnliche Kraft, aber im Ring zeigte sich sein muskulöser und eleganter Körper. Seine Kampftechnik, die er meisterhaft beherrschte, schien ausschließlich ihm vorbehalten – und seine Gegner ahnten nicht, welche einzigartigen Vorteile sie ihm gegenüber denen einbrachte, die nach den klassischen Regeln des Faustkampfs trainierten und kämpften. Sie war rein intuitiv und im Training nur noch weiter perfektioniert worden, und die Tatsache, daß er seine Gegner verwirrte, sicherte ihm einen entscheidenden Zeitvorteil, um seine natürlichen Vorteile flink und gezielt auszuspielen. […] In Gesellschaft war Jem umgänglich, bescheiden und zurückhaltend.

Als Gastgeber besaß niemand ein so feines Gespür für Anstand und gutes Benehmen wie Belcher.

Von den Anfängen des modernen Boxens an faszinierten die Fans die Niederlagen und Tragödien der großen Helden weit mehr als ihre Siege. Auch hier machte Jem Belcher keine Ausnahme. Nachdem er sich früh vom Profiboxen zurückgezogen und durch einen Unfall ein Auge verloren hatte, versuchte er ein Comeback und erlitt dabei eine vernichtende Niederlage. Seine Fans allerdings scheinen Belchers letzten Kampf als seine größte Stunde erlebt zu haben:

> Obwohl Belchers Schwächen für die Zuschauer unübersehbar waren, da er die Angriffe des Gegners nicht wie gewohnt abwehren konnte und schwere Schläge am Kopf und im Gesicht einstecken mußte, machte seine bemitleidenswerte Situation einen tiefen Eindruck, nicht nur bei seinen Anhängern, sondern beim ganzen Publikum, und viele konnten sich angesichts des Untergangs ihres großen Helden ihrer Tränen nicht erwehren.

Obwohl die meisten großen Boxveranstaltungen im 19. Jahrhundert unter freiem Himmel stattfanden, kamen oft 20 000 bis 30 000 Zuschauer zu den Kämpfen. Aus heutiger Sicht belegen diese Zahlen, daß die Entwicklung des Boxsports auf vielen verschiedenen Ebenen die Entwicklung der meisten anderen Sportarten um ein gutes Jahrhundert vorwegnahm.

*

Es gibt eine historische Rahmenbedingung, in der die Entwicklung des Boxens in England und die Anfänge des modernen Sports im frühen 19. Jahrhundert sich überschneiden. Als Bestätigung der Tatsache, daß einer der Hauptgründe für die Faszination des Boxens – zumindest für den gebildeten Teil des Publikums – die in der Kultur der Aufklärung behauptete einseitige Vorzugsstellung von Geist und Vernunft vor dem Körper und den Sinnen war, suchten die unterschiedlichen Sportbewegungen des 19. Jahrhunderts oft eine Legitimation in Biographien und Büchern von Autoren, die bereits zur Zeit der Aufklärung den Wunsch nach einer Rückkehr zu den sinnlichen Aspekten des Lebens gefordert hatten. Indirekt antizipieren diese Autoren die Sichtweise des Kulturhistorikers Norbert Elias bezüglich der vormodernen Entwicklung des Sports. Für Elias war diese Entwicklung sowohl ein Teil von als auch eine Kompensation für die Zähmung der gewalttätigen menschlichen Natur, die er den »Prozeß der Zivilisation« nannte. Einer der Schriftsteller, die Sinn und Sinnlichkeit wieder zu ihrem Recht kommen lassen wollten, war Johann Wolfgang von Goethe. Er betrachtete regelmäßige körperliche Ertüchtigung, vor allem Schwimmen und Eislaufen, als notwendige Voraussetzung für den Erhalt seines Geistes und seiner Produktivität als Schriftsteller. Autoren wie Winckelmann oder Hölderlin stießen in ihren intensiven Bemühungen um eine Neuentdeckung der antiken griechischen Kultur auf die Bedeutung der panhellenischen Spiele. Körperliche Ertüchtigung spielte auch in Rousseaus Erziehungstraktat *Émile* eine große Rolle, und gleichzeitig war Rousseau einer der ersten europäischen Intellektuellen, die sich nach der Authentizität der unberührten Natur sehnten und sie bewußt genossen. Die Tatsache, daß die Erstbesteigungen zahlreicher Alpengipfel ins späte 18. Jahrhundert fielen, war ein Teil dieses kulturellen Umfelds.

Erst zu Beginn des 19. Jahrhunderts allerdings fanden die Sehnsucht nach der Natur und der Wiederentdeckung des eigenen Körpers ihren Rahmen innerhalb einer neuen institutionellen Struktur. Diese institutionelle Struktur war eine neue Form von Freizeit, die sich als Folge von bürgerlicher Revolution und Reformen von einem Klassenprivileg in ein Versprechen für alle verwandelt hatte. Generell gesagt war die Freizeit der Ort, an dem eine Vermittlung zwischen den vielfältigen Versprechungen der neuen Staaten an ihre Bürger und der meist enttäuschenden Alltagswirklichkeit stattfand. Bis heute kommt der Freizeit diese Aufgabe zu, indem sie dem einzelnen erlaubt, zu sein (oder zu glauben zu sein), was man schon immer sein wollte (und was einem versprochen wurde), ohne es je erreichen zu können. Schließlich und unter unterschiedlichen nationalen Voraussetzungen wurden einzelne Freizeitaktivitäten und das neue Interesse an der Natur aufgegriffen, um neue, oft zentrale Funktionen in den aufkommenden nationalen und individuellen

Erziehungsprogrammen zur Zeit der Romantik abzudecken. Auch wenn die Wiederentdeckung der antiken griechischen Körperkultur im 18. Jahrhundert vor allem das Werk einiger deutscher Autoren war, entfaltete dieses Modell seinen stärksten Einfluß in der Erziehung des kosmopolitischen Gentleman an den britischen Schulen. In Deutschland hingegen, genauer gesagt in Preußen, nahm die entsprechende Entwicklung eine stärker praktisch orientierte und disziplinarische Richtung. In Berlin entwickelte Friedrich Ludwig Jahn sein Programm moderner Leibesübungen mit dem ausdrücklichen Ziel, die deutsche Jugend für die Befreiungskriege gegen Napoleon zu stärken. Eine strenge Form und eine paramilitärische Funktion jeder Bewegung, vereint mit der Hoffnung, zur vermeintlichen Stärke der germanischen Vorfahren zurückzukehren, bildeten den Kern der Bewegung. Allein der Ausdruck ›Turnen‹, den Jahn für diesen neuen Sport prägte, sollte nicht zufällig wie ein Wort aus der archaischen germanischen Sprache klingen.

Innerhalb des europäischen Kontexts jedoch war Jahns Aufbruch in das moderne Zeitalter des Sports eher eine Randerscheinung (glücklicherweise, möchte man hinzufügen). Anstatt in der Erfindung neuer Formen und Regeln manifestierte sich die allgemeine europäische und nordamerikanische Entwicklung auf eine weit weniger sichtbare, dafür aber um so wirkungsvollere Art. Sie bestand in einer seit Beginn des 19. Jahrhunderts stattfindenden grundlegenden Wandlung der sozialen Rahmenbedingungen, Funktionen und individuellen Einstellungen in der Ausübung der traditionellen Sportarten. Tennis und Golf, Ringen und Fechten, Pferderennen und Bootsrennen, Bergsteigen und Wandern, die populärsten Sportarten dieser Zeit (und sogar einige Mannschaftssportarten), existierten alle schon vor 1800. Doch wurden sie jetzt von einer großen Zahl junger Menschen mit mehr Energie und vermutlich auch mit mehr Überzeugung und größeren Ansprüchen betrieben als je zuvor. Dieser allmähliche qualitative und quantitative Wandel markierte den Beginn einer Entwicklung, in deren Verlauf sich der ›Amateursport‹ als Freizeitvergnügen und Erziehungsideal vom ›Profisport‹ als Verdienstquelle und Massenspektakel trennte. Beide

78

Seiten fanden sich schon bald in streng geschiedenen institutionellen Welten wieder, zwischen denen es erst seit der Mitte des 20. Jahrhunderts durch komplexe Formen gegenseitiger Bereicherung wieder zu einer Annäherung kam.

Soweit wir das von heute aus überblicken können – und obwohl noch ein großer Bedarf an historischer Quellenforschung und vor allem an klugen Gesamtdarstellungen besteht –, reicht das erste Kapitel in der Geschichte des modernen Sports von den frühen bürgerlichen Revolutionen und den Reformen um 1800 bis etwa 1860. Geprägt waren diese Jahrzehnte mehr vom Geist der Aufklärungspädagogik und von den Freizeitvorstellungen der Mittelklasse als vom sportlichen Professionalismus und von massenhaft gefüllten Stadien, auch wenn es volle Stadien im englischen Boxsport bereits gab. Wenn sich das Bergsteigen beispielsweise in dieser Zeit zu einem ›Sport‹ entwickelte, bedeutete dies, daß die gelegentliche Befriedigung einer individuellen ›vor-romantischen‹ Sehnsucht (»der Lord empfindet Wehmut, reist in die Schweiz und bewundert das Matterhorn«) schrittweise in eine institutionalisierte Tätigkeit verwandelt wurde, die ein festes Regelwerk und genau beschriebene Fertigkeiten umfaßte, was eine sehr viel breitere Teilnahme sowie die Wahrnehmung eines Abstands zwischen dieser Tätigkeit und dem durch Arbeit bestimmten Alltag ermöglichte (»die Mitglieder eines Bergsteigervereins verbringen ihren Urlaub in Bayern und besteigen die Zugspitze«).

Kein anderes Umfeld ist so einflußreich und repräsentativ für die historische Entwicklung des modernen Sports gewesen wie die britischen Colleges und Universitäten. 1829 zum Beispiel fand das erste Bootsrennen zwischen den Mannschaften der Universitäten Oxford und Cambridge statt, unter der (für uns besonders interessanten) Bedingung, daß professionelle Ruderer, die nicht zur Studentenschaft der beiden Universitäten gehörten, von der Teilnahme ausgeschlossen waren. Der Amateurgedanke war zweifellos nie der ›Naturzustand‹ in der Geschichte des Sports, sondern entstand erst durch institutionelle Anstrengungen im Laufe des 19. Jahrhunderts. 1859 vereinbarten Oxford und Cambridge schließlich, den Ruderwettstreit jährlich auszutragen. Auch andere Mannschaftssportarten erfreuten sich unter den Studenten wachsender Beliebtheit. Nicht nur Kricket fand seinen Weg an die Universitäten, nachdem es das ganze 18. Jahrhundert über ein Zeitvertreib für Gentlemen gewesen war. Vor allem entwickelten sich in dieser Zeit frühe Formen von Rugby und Fußball – noch ohne feste Regeln. Mit überraschend pädagogischem Pathos wurden sie als Mittel zur Verbreitung eines neuen sozialen Ethos begrüßt, das unter der Bezeichnung *fair play* bekannt wurde und den Einsatz für das eigene Team mit Respekt und Fairneß gegenüber dem Gegner verband. Unterdessen entwickelte sich das ›Turnen‹ in Deutschland, ohne daß der schrille patriotische Ton seiner frühen Jahre nachließ, zu einer Massenbewegung, die den politischen Kräften im Ringen um einen deutschen Nationalstaat näher stand als der Entstehung eines Programms zur Leibeserziehung an den Schulen. Zur Mitte des Jahrhunderts waren aus den jährlich stattfindenden ›Turnfesten‹ politische Großdemonstrationen mit bis zu 30 000 Teilnehmern geworden.

In den englischsprachigen Ländern blieben die professionellen Sportarten wie Pferderennen und Boxen, unterstützt vom nie erlahmenden Wettfieber, ungebrochen populär und vom aufkommenden Amateursportethos weitgehend unberührt. Aus heutiger Sicht ist es gewiß überraschend, daß die historischen Vorläufer unserer Leichtathletik-Disziplinen unter dem Begriff *pedestrian sports* weiter zur Welt des Profisports und des Wettens gehörten, anstatt Aufnahme in die Bewegung des College-Sports zu finden. Baseball hingegen war in den Anfängen seiner Geschichte weder eindeutig dem Profilager noch den Universitäten zuzuschlagen. Obwohl heutige Baseballfans sich hartnäckig darum bemühen, eine ländliche (wenn nicht gar bukolische) Vergangenheit für ihren Lieblingssport zu erfinden, war die Entstehung des ersten Baseballklubs gänzlich städtisch und bürgerlich. Am 23. September 1845 gründete eine Gruppe New Yorker Gentlemen, die sich seit dem Frühjahr 1842 an jedem Wochenende zum Spiel an der Ecke Madison Avenue und 27. Straße trafen, den ›New York Knickerbocker Base Ball Club‹. Wenig später setzten sie ein- oder zweimal wöchentlich mit der Fähre über den Hudson nach Hoboken in New Jersey über, um auf einer Picknickwiese, die den klingenden Namen ›Elysian Fields‹ trug, zu spielen. Obwohl der erste Präsident der Knickerbockers ein junger Arzt war und es in der Satzung hieß, das Spiel diene »der Förderung der Gesundheit und der Erholung«, schienen die Zusammenkünfte doch einen fast mondänen Charakter gehabt zu haben. Zumindest in den ersten Jahren schloß sich den Spielen der Knickerbockers stets ein Champagner-Souper an.

*

1869 jedoch war es mit dem Baseball als reinem Freizeitvergnügen vorbei. Bereits zehn Jahre zuvor war das Spiel mit dem ersten Aufeinandertreffen der Universitätsmannschaften von Amherst College und Williams College Teil der aufstrebenden Welt des akademischen Sports und dessen ehrgeizigem Selbstverständnis geworden. 1869 aber war das Jahr, in dem die Cincinnati Red Stockings als das erste reine Profiteam auftraten. Eine Gruppe von Investoren aus Ohio finanzierte die Red Stockings, und Trainer der Mannschaft war Harry Wright, der aus Großbritannien stammende Sohn eines Kricket-Profis. Die alte Welt des Berufssports begann so die sehr viel jüngere Welt des Freizeitsports zu erobern, und die Veränderungen erfolgten nun Schlag auf Schlag. Am Saint Patrick's Day 1871 erklärte die National Association of Professional Base Ball Players ihre Ablösung vom Vorgängerverband, der für den Erhalt des Spiels als Gentleman-Sport eintrat. Eine aus neun Mannschaften bestehende Profiliga wurde gegründet, von der drei Klubs, die Boston Red Stockings, die Chicago White Stockings und die Philadelphia Athletics (heute Oakland Athletics) noch immer in den beiden Major Leagues spielen. 1876 traf den Profibaseball die erste finanzielle Krise. Sie gab den Besitzern der Klubs die Gelegenheit, das Einkommen der Spieler auf $ 800 herunterzuschrauben, mit der Begründung, es sei »lächerlich, Spielern ein Jahreseinkommen von $ 2000 zu zahlen«.

In jenen entscheidenden Jahren für den Baseball kam es zu einem Zusammenwirken mehrerer Bewegungen, die ein neues Kapitel in der Geschichte des modernen Sports einleiteten. Die durch das Aufeinandertreffen von Universitäts- und Freizeitsport mit der Tradition des Profisports hervorgerufenen Verwicklungen scheinen die Gründung nationaler (und wenig später auch internationaler) Verbände für einzelne Sportarten begünstigt zu haben. Das große Verdienst dieser Verbände war eine systematische Entwicklung (gefolgt von einer internationalen Vereinheitlichung) fester und verbindlicher Regeln für jede Sportart. Dies geschah zu einer Zeit, als Ballsportarten und einige andere Mannschaftssportarten, die bis zum Ende des 18. Jahrhunderts eher unbedeutend gewesen waren, sich als größte Zuschauermagneten zu etablieren begannen – und wenig später auch als beliebteste Freizeitsportarten. Während durch meine knappe Darstellung dieses komplexen Moments in der Geschichte des Sports unweigerlich der Eindruck entstehen mag, alle diese Entwicklungen seien in einer ursächlichen und zeitlichen Abfolge miteinander verbunden, glaube ich eher, daß sie gleichzeitig stattfanden und sich wie die Teile eines Systems gegenseitig beeinflußten (ohne natürlich ein ›System‹ zu sein). Die chronologische Folge der Ereignisse ist deshalb für unsere Darstellung weniger bedeutsam, als es auf den ersten Blick erscheinen mag.

Unterdessen erfolgte in England eine Ausdifferenzierung der Ballsportarten in zwei große Gruppen, wobei der Ball entweder mit der Hand festgehalten werden durfte (was gleichzeitig aggressive Angriffsmethoden erlaubte) oder aber jedes Handspiel untersagt war (was die Möglichkeit der Ballkontrolle erschwerte und zum Verbot von direkten Körperattacken führte). Dieser Differenzierungsprozeß endete mit der Unterscheidung von Rugby (das an amerikanischen Colleges zu American Football wurde) und Fußball. Das Aufkommen verschiedener, von Mannschaften gespielter Ballsportarten ist zweifellos symptomatisch für eine Entwicklung, die als eine Revolution des Geschmacks und der Vorlieben der Zuschauer und Freizeitsportler erlebt worden sein muß (wenn auch den historischen Zeugnissen nach eher als eine stille Revolution), wobei die rasche Differenzierung von körperbetonten und den Spielfluß fördernden Versionen der einzelnen Ballsportarten diese Entwicklung begünstigte.

Der britische Fußballverband, die Football Association, wurde

1863 gegründet und arbeitete in der Folgezeit ein Regelwerk aus, das 1892 seine (beinahe) endgültige Fassung erhielt. Seit 1888 war die Football Association auch der Kopfverband einer Profiliga, die sich den Verbandsregeln anschloß und deren Spieler sich vorwiegend aus jungen Fabrikarbeitern rekrutierten. Die Fédération Internationale de Football Association (FIFA) wurde 1904 in Paris gegründet, zu einer Zeit, als überall in Europa nationale Fußballverbände entstanden. In den USA war zweifellos die einzigartige Popularität des Universitätssports dafür verantwortlich, daß eine entsprechende Unterscheidung von College Football und Profifootball erst nach 1920 (und selbst dann nur langsam) einsetzte. Doch sind die Details der Geschichte des American Football nicht weiter von Belang, sobald das Grundmuster der wechselseitigen historischen Entwicklung zwischen Ausweitung des Profisports und Schüben seiner institutionellen Verankerung deutlich geworden ist.

Eine weitere Veränderung innerhalb dieser zweiten Etappe in der Geschichte des modernen Sports entstand als Reaktion auf die zunehmende Professionalisierung und als Antwort auf bestimmte nationalistische Tendenzen. Gemeint ist der Aufstieg des Amateursports und seine überragende Rolle bei der Entstehung der modernen olympischen Bewegung. Die ursprüngliche institutionelle Organisation des Amateursports war das beinahe ausschließliche Verdienst Pierre de Coubertins, eines kultivierten französischen Aristokraten mit beeindruckendem diplomatischen Geschick. 1863 geboren, war Coubertin unter dem nationalen französischen Trauma, ausgelöst durch die Niederlage gegen Preußen im Krieg von 1870/71, aufgewachsen, einer Niederlage, die sowohl den Zusammenbruch des Zweiten Kaiserreichs in Frankreich wie die Gründung des Zweiten Deutschen Kaiserreichs zur Folge hatte. Glücklicherweise reagierte Coubertin aus komplexen (wenn auch völlig zufälligen) biographischen Gründen auf die Bedrohung durch deutschen Nationalismus in der Politik und im Sport keineswegs symmetrisch. Vielleicht dank seiner aristokratischen Vorlieben für Reiten und Fechten (sowie der weniger aristokratischen, dafür aber sehr französischen Begeisterung für den Radsport) galt Pierre de

Coubertins ganze Vorliebe den Werten und Formen des britischen College-Sports. Wunschvorstellungen und Mißverständnisse waren dabei nicht ausgeschlossen. So war beispielsweise der Internationalismus, den Coubertin im britischen College-Sport zu sehen glaubte, größtenteils eine Illusion. Die Briten gingen deshalb auch nie so weit, Coubertins Vorschlag der festen Teilnahme eines französischen Teams an den Bootsrennen zwischen Oxford und Cambridge zuzustimmen. Andererseits war Coubertin aufgeschlossen genug, daß er ungeachtet des nationalen französischen Traumas die Leistungen der deutschen Altertumsforscher und Archäologen bewundern konnte, die in den vorangegangenen Jahrzehnten durch Ausgrabungen die Ruinen des antiken Olympia entdeckt hatten. Die Entdeckungen der zeitgenössischen Archäologen zu verfolgen war eine Sache, ein historisch angemessenes Verständnis der antiken Spiele zu entwickeln hingegen eine andere. Tatsächlich entsprach Coubertins Identifizierung der panhellenischen Spiele der klassischen Antike mit dem Amateurgedanken und die Vorstellung, daß ›Mitmachen‹ weit wichtiger als ›Gewinnen‹ gewesen sei, zwei geradezu grotesken Mißverständnissen. Allerdings sollten wir deren Folgen nicht überdramatisieren. Selbst ohne Coubertin und seine olympische Ideologie hätte sich wohl ein Ideal des ›Amateurgedankens‹ als Klassenreaktion auf die Ausweitung des professionellen Sports durchgesetzt. Den Beweis dafür liefert die längst vergessene ›Arbeitersportbewegung‹, die sich in den Jahrzehnten nach der Oktoberrevolution von 1917 von der Sowjetunion aus verbreitete und sogar große ›Arbeiterolympiaden‹ veranstaltete. Wie Coubertins Ideologie stand auch die Arbeitersportbewegung – offiziell – gegen Nationalismus und Professionalismus im Sport. Gleichzeitig allerdings ging sie aber auch demonstrativ auf Distanz zur ganz und gar bürgerlichen Idee von Olympia.

Der eigentlich interessanteste historische Aspekt liegt darin, daß die Begeisterung für die antike griechische Kultur nach Art von Pierre de Coubertin, zusammen mit der aristokratischen (und zum Ende des 19. Jahrhunderts auch in der gehobenen Mittelschicht verbreiteten) Ablehnung von Nationalismus und Profisport, überall in Europa und Nordamerika eine ungeahnte –

um nicht zu sagen explosionsartige – Resonanz fand. Nachdem Coubertin seine Ideen über den internationalen Amateursport im Sommer 1894 auf einem Kongreß in Paris vorgestellt hatte, ging die Entwicklung so schnell, daß sie mehrfach außer Kontrolle zu geraten drohte. Entgegen Coubertins Vorschlag, die ersten modernen Olympischen Spiele unter dem Dach der Weltausstellung von 1900 in Paris zu veranstalten, brachte die griechische Delegation die Idee ein, diese Spiele in der Osterwoche 1896 in Athen abzuhalten. Als geborener Diplomat machte Pierre de Coubertin sich die Idee zu eigen, die Olympischen Spiele (beinahe) an ihren ursprünglichen Ort zurückzubringen, statt an seinem eigentlichen Projekt festzuhalten. Zur allgemeinen Überraschung gelang es ihm, die griechische Königsfamilie – trotz eines katastrophalen Haushaltsdefizits – für seinen Plan zu gewinnen. Genau im richtigen Moment trat wie durch ein Wunder dann ein patriotisch gesinnter Millionär auf den Plan, der mit seiner großzügigen Unterstützung der Olympiade für die leeren Staatskassen einsprang und den Bau eines wahrhaft zukunftsweisenden Stadions ermöglichte. Es wurde genau an der Stelle errichtet, an der kurz zuvor die Reste des antiken Stadions von Athen ausgegraben worden waren. Während der Grundriß und zahlreiche architektonische Details im Innern des neuen Stadions der antiken Tradition nachempfunden schienen, war es angesichts des für damalige Verhältnisse gigantischen Fassungsvermögens von 70 000 Zuschauern das erste wirklich moderne Stadion. Sportgeschichtlich gesehen war die Eröffnung dieses Stadions das bedeutsamste Ereignis der Spiele von 1896.

Die Fotos, die das vollbesetzte Stadion bei der Eröffnungsfeier, die Ankunft der Marathonläufer und die Schlußfeier der ersten Olympiade zeigen (in einer Stadt von nur 200 000 Einwohnern), lassen uns allzuleicht vergessen, daß die sportlichen Wettkämpfe in aller Eile improvisiert worden waren und deshalb, selbst gemessen am vergleichsweise bescheidenen Leistungsniveau jener Jahre, eher unbedeutend blieben. Die Einladungen an die einzelnen nationalen ›Olympischen Komitees‹, von denen die meisten sich noch in ihrer Gründungsphase befanden, wurden erst sehr spät verschickt, und fast alle eingeladenen Länder hatten mit finanziellen oder logistischen Problemen zu kämpfen. Trotz der zentralen Rolle von Pierre de Coubertin fühlte sich keine Institution und keine Einzelperson in Frankreich dazu verpflichtet, die Reisekosten für die Sportler zu übernehmen (Gerüchten nach handelte es sich bei den französischen Radrennfahrern, die olympische Medaillen gewannen, um zwei junge Männer, die zufällig geschäftlich in Griechenland unterwegs waren). Die Entsendung der amerikanischen Delegation, die aus Studenten aus Princeton und Harvard bestand, wurde in letzter Minute durch William Sloane ermöglicht, einen Freund Coubertins, der Professor in Princeton war; er stornierte die Überfahrt nach Griechenland für sich und seine Frau und stiftete das Geld einem anonymen Fonds, der zur Finanzierung der Reisekosten der Mannschaft eingerichtet worden war (der Kapitän der Leichtathletikmannschaft, Robert Garrett, reiste in Begleitung seiner verwitweten Mutter an, die eine Bank in Baltimore besaß). Die einundzwanzig deutschen Teilnehmer wurden im Gegensatz dazu von der Familie des Kaisers unterstützt (zu Ehren ihrer griechischen Verwandten), was ihnen allerdings den Ausschluß auf Lebenszeit aus dem anti-internationalistisch eingestellten Turnerbund einbrachte, der bei weitem mächtigsten Organisation des Landes. Nur der ungarische Staat zeigte den guten Willen, seine Delegation bei der ersten Olympiade der Neuzeit zu unterstützen. Insgesamt gesehen ist es jedoch kein Wunder, daß die Teilnehmerstatistik wenig beeindruckend ausfiel, zumindest aus heutiger Sicht. Die 262 in Athen antretenden Athleten kamen aus dreizehn Ländern, nur 76 von ihnen waren keine Griechen.

Die eigentlichen sportlichen Wettkämpfe waren noch stärker als das olympische Ritual auf Improvisation angewiesen, was in vielen Fällen zu willkürlichen Ergebnissen führte. Sämtliche Mannschaftswettbewerbe mußten etwa aufgrund der Wetterbedingungen abgesagt werden. Robert Garrett aus Princeton gewann – vermutlich vor den Augen seiner Mutter – das Diskuswerfen, obwohl er diese Sportart buchstäblich erst wenige Tage vor dem olympischen Wettkampf kennengelernt hatte. Ähnlich wie Pierre de Coubertins hausgemachte olympische Ideologie präsentierte sich das sportliche Programm der Spiele als Kompromiß zwischen der Art, wie das späte 19. Jahrhundert sich antike Spiele vorstellte, und Zugeständnissen an den modernen Geschmack. Die Leichtathletikwettbewerbe sowie Ringen, Schwimmen und vielleicht noch Fechten und Gewichtheben, die alle auf sehr elementaren Körperbewegungen basieren, mögen unmittelbar an die ferne Vergangenheit erinnert haben. Schießen, Radfahren, Tennis und – als Verneigung in eine andere Richtung – Turnen und Seilklettern vermittelten demgegenüber einen modernen Eindruck. Erstaunlicherweise gab es bei den ersten Olympischen Spielen keine Ballsportarten.

Der Wettkampf, der am meisten den sportlichen Geist von 1896 verkörperte, war natürlich der Marathonlauf. Von Michel Breal, einem Philologen und Freund Coubertins, auf der Grundlage zweifelhafter historiographischer Quellen zur Erinnerung an jenen heldenhaften Läufer eingeführt, der im Jahr 490 v. Chr. den Athenern die Nachricht vom Sieg über die Perser überbracht hatte und danach tot zusammengebrochen war, verband dieses Ereignis die Landschaft des klassischen Griechenlands mit den historischen Vorstellungen des späten 19. Jahrhunderts und dem eigentlichen sportlichen Wettkampf. Obwohl er, abweichend vom heutigen olympischen Protokoll, nicht am letzten Tag stattfand, war die Ankunft des griechischen Marathon-Siegers Spiridon Louis im Stadion der Höhepunkt der Spiele. Burton Holmes, ein amerikanischer Besucher der Spiele, erlebte den triumphalen Einlauf des Siegers so:

Während von den ansteigenden Rängen des Stadions brandender Applaus ertönt; während der griechische König alle Etikette vergißt, die Sonnenblende von seiner königlichen Kappe reißt und sie wild durch die Luft schwenkt; während gesetzte und ehrbare Bürger sich in den Armen liegen, Freudentränen fließen und mit langen weißen Bändern geschmückte Tauben in den Himmel aufsteigen; während ganz Athen einen einzigen Triumphschrei ausstößt, wird Louis, ein einfacher Schafhirt aus dem kleinen Dorf Maroussi, von zwei Prinzen und einem russischen Großherzog, die ihn immer wieder umarmen und sogar küssen, vom Stadioneingang bis zum anderen Ende begleitet, wo ihn der König selbst empfängt, inmitten einer Kulisse, wie sie Athen seit eintausend Jahren nicht erlebt hat.

*

Aus unserer historischen Perspektive ist es so banal wie wichtig festzuhalten, daß die Spiele von Athen die Zukunft des Sports vorwegnahmen, genauer gesagt, die Zukunft des Sports im ersten Drittel des 20. Jahrhunderts. Große Zuschauermengen in modernen Stadien und eine ständig wachsende Zahl internationaler Veranstaltungen, zusammen mit der anhaltenden Distanz und den Spannungen zwischen Amateursport und Professionalismus, bildeten das komplexe Szenario, das die Geschichte des modernen Sports zwischen 1896 und der Olympiade in Berlin 1936 bestimmte. Wäre die Entwicklung anders verlaufen, hätte die olympische Bewegung die Spiele in Paris von 1900 und vier Jahre später in Saint Louis wohl nicht überlebt, wo sie beide Male eine marginale Rolle als Teil der populären Weltausstellungen zugewiesen bekamen. Erst die Olympischen Spiele 1908 in London und 1912 in Stockholm scheinen an das besondere Potential und Versprechen jenes Moments des Marathonlaufs von Athen angeknüpft zu haben.

Unterdessen versuchte das Programm der Olympischen Spiele, vielleicht unbewußt, sich dem historischen Wandel des Publikumsgeschmacks anzupassen. Der Frauensport wurde zugelassen. Von 1924 an kamen die Winterspiele hinzu. Zudem herrschte in den zwanziger Jahren eine besondere Faszination für Sportarten, bei denen die Sportler mit äußerster Erschöpfung und mit Todesgefahr konfrontiert wurden. Es waren die goldenen Jahre des Boxens, des Langstreckenlaufs und des Bergsteigens, einer Sportart, in der 1936 olympische Medaillen verliehen wurden. Vor allem aber rückten Ballsportarten weiter ins Zentrum der Aufmerksamkeit, bis sie schließlich ins olympische Programm aufgenommen wurden, trotz des wohl berechtigten Verdachts des Professionalismus. Eishockey, Curling, Polo, Wasserball, Rugby und baskische Pelota standen auf dem Programm der Olympischen Spiele von 1924 in Chamonix und Paris. Der populärste Wettkampf der Spiele 1924 wie auch 1928 in Amsterdam aber war das Fußballturnier, das beide Male von der ›sensationellen‹ Mannschaft aus Uruguay gewonnen wurde (1924 im Finale gegen die Schweiz und 1928 gegen Argentinien).

Der unvergleichliche Erfolg des Fußballs und sein anhaltender Konflikt mit der olympischen Ideologie waren zwei Gründe für die Einrichtung der Fußballweltmeisterschaft, die innerhalb kurzer Zeit zum zweitgrößten internationalen Sportereignis aufsteigen sollte. Die Dominanz Uruguays in den zwanziger Jahren und die große Begeisterung, die das Spiel dieser Mannschaft in ganz Europa auslöste (eine Begeisterung, die sich ausnahmsweise einmal in ausdrücklich ästhetischen Begriffen wie ›Eleganz‹, ›Rhythmus‹ oder ›Spielfluß‹ ausdrückte), war allerdings nicht der einzige Grund für die Entscheidung des Weltfußballverbands, Montevideo zum Austragungsort seines ehrgeizigen Projekts zu machen. Das Jahr 1930, in dem die erste Weltmeisterschaft ausgetragen werden sollte, war auch der hundertste Jahrestag der Unabhängigkeit Uruguays (vor dem historischen Hintergrund einer Trennung von Argentinien, nicht von Spanien). Vor allem aber galten Südamerika und ganz besonders die Rio-de-la-Plata-Staaten in Europa und Nordamerika als die großen wirtschaftlichen und politischen Kräfte der damaligen Zukunft. So war dies die Zeit, in der uruguayische Banken ausländisches Kapital auf anonyme, steuerfreie Konten lockten und die Bürger Uruguays ihr kleines, aber vielbeachtetes Land stolz als die ›Schweiz Südamerikas‹ präsentierten.

Aufgrund der Weltwirtschaftskrise von 1929 und vermutlich wohl auch einer unseligen Verbindung von grenzenlosem Selbstvertrauen und Schlamperei erlebte Montevideo (der einzige Spielort für sämtliche Begegnungen) während der Tage der ersten Fußballweltmeisterschaft vom 13. Juli bis 30. Juli eine Reihe ernüchternder Momente. Nur vier europäische Mannschaften (mit Belgien, Frankreich, Rumänien und Jugoslawien gewiß nicht die besten) waren unter den Teilnehmern und spielten meist vor peinlich leeren Rängen. Mit dem Bau der Weltmeisterschaftsarena war erst 1930 begonnen worden. Ursprünglich für 100 000 Zuschauer entworfen, faßte das Stadion am Ende

70 000 Zuschauer und wurde erstaunlicherweise fünf Tage nach dem Eröffnungsspiel dennoch eingeweiht. Bis heute empfängt den an Sportgeschichte interessierten Reisenden im Zentrum von Montevideo, wenn auch in einem Zustand von mehr als melancholischem Verfall, El Estadio Centenario, ein imposantes Bauwerk, von dem eine gewisse Leichtigkeit ausgeht. An diesem Ort trafen Argentinien und Uruguay, die beiden größten Fußballmannschaften zu Beginn des 20. Jahrhunderts, zu einer Zeit, als die Spieler noch ohne Trainer antraten und die Spieltaktik unter sich ausmachten, an diesem Ort also trafen Argentinien und Uruguay in einem Finale aufeinander, das an Schönheit und Dramatik, an spielerischer Kombinationsgabe und technischer Brillanz so einzigartig gewesen sein muß, daß die Zeitungen zu beiden Seiten des Rio de la Plata einen Jubelchor lateinamerikanischer Überlegenheit anstimmten, anstatt sich auf Argentiniens Niederlage oder Uruguays 4:2-Sieg zu konzentrieren:

Der gesamte amerikanische Kontinent feierte heute die Nachricht eines Triumphs. Denn es war nicht nur ein Triumph Uruguays, sondern ein Triumph ganz Südamerikas. Es war ein Triumph für alle Nationen, die ihre Jugend im gesunden und edlen Geist des Sports erziehen, hin zu einer Stärkung ihres Landes und zur Anerkennung großer spiritueller Werte. […] Nach dem Ausgleichstor für Uruguay demonstrierte die Mannschaft Fußballkunst auf höchstem Niveau, und die Argentinier mußten sich der spielerischen Überlegenheit des Gegners geschlagen geben.

*

Viel, vielleicht zu viel, ist über die unter nationalsozialistischer Führung organisierten Olympischen Spiele von 1936 in Berlin geschrieben worden. Beinahe genausoviel ist über den eindrucksvollen Dokumentarfilm gesagt worden, den die Regisseurin Leni Riefenstahl diesem Ereignis widmete. Ich will mich daher kurz fassen. Auf der einen Seite führte die Olympiade in Berlin die Ideologie des Amateursports durch extreme Selbstinszenierung an die Grenze von bisweilen grotesker Perfektion. Gleichzeitig waren die Spiele von 1936 der Beginn einer strukturellen Allianz von Sport und Kommunikationstechnologie. Die Berliner Olympiade markierte deshalb eine Schwelle zwischen der Vergangenheit des Sports vom Anfang des 20. Jahrhunderts und dem, was seither für uns zu einer anhaltenden Gegenwart geworden ist.

Wie die Eingangssequenz von Riefenstahls Film zeigt (in der antike griechische ›Statuen‹, dargestellt von Schauspielern in Unterwäsche, sich in lebendige ›Athleten‹ verwandeln) und wie die Architektur des Berliner Olympiastadions bestätigt (die einen Kompromiß zwischen der U-Form des Stadions in Olympia und der geschlossenen Form des Kolosseums darstellt), war niemand in der Verschmelzung griechischer Traditionen mit modernen nationalistischen Ansprüchen weiter gegangen als die Meisterdenker der Berliner Olympiade. Eine üppig bebilderte Sequenz ideologischer Gleichsetzungen suggerierte, daß der moderne Sport griechisch antik, daß die deutsche Kultur Erbin der antiken griechischen Kultur und daß der Sport folglich genauso griechisch wie deutsch war. Zur Verkörperung dieser drei Behauptungen erfand Hitlers Sportideologe Carl Diem ein neues ›olympisches‹ Ritual, das sich bis heute erhalten hat und das viele für historisch authentisch halten – obwohl es unstrittig vor 1936 niemals stattgefunden hat (der Fall ist insofern noch markanter als der Marathonlauf zu Ehren eines vermeintlich ›historischen Ereignisses‹, das es aller Wahrscheinlichkeit nach nie gegeben hat). Ich meine den Fackellauf der ›Olympischen Flamme‹, die seit 1936 vom Zeus-Tempel in Olympia in jede neue Olympiastadt getragen wird.

Glücklicherweise markierte die von Deutschland zur Perfektion gebrachte olympische Ideologie rückblickend zugleich den Anfang ihres Endes. Wie ernst konnten die Ansprüche und Rituale des Amateurgedankens und Internationalismus im Sport schon sein, wenn sie sich so widerstandslos für die Interessen eines Staates mißbrauchen ließen, der das schlimmste Maß an Ausbeutung, Nationalismus und Rassismus verkörperte, das die Menschheit gesehen hat? Gleichzeitig, und dies gibt der Berliner Olympiade den Status eines Ereignisses, das die Zukunft des Sports nach 1936 antizipierte, brachten diese Spiele nicht nur einen der erfolgreichsten Sportfilme der Geschichte hervor und erlebten eine ausführliche weltweite Berichterstattung im Radio, sondern sie waren auch das erste weltgeschichtliche Ereignis (nicht nur das erste Sportereignis), das im Fernsehen übertragen wurde. Diese Tatsache ist so wenig bekannt, weil die Fernsehbilder aus dem Berliner Olympiastadion nur in einer Handvoll deutscher Kinos einem ausgewählten Publikum gezeigt wurden. Was die deutschen Zuschauer sahen (und woran sich die wenigen heute noch Lebenden unter ihnen erinnern), war – gegen die Hoffnung der Veranstalter – der Durchbruch der afro-amerikanischen Sportler zur Weltspitze im internationalen Sport. Wie aber sieht nun unsere anhaltende Gegenwart in der Geschichte des modernen Sports aus, eine Gegenwart, die mit der Fernsehübertragung der Olympischen Spiele in Berlin begann? Auf welche Weise haben weitere Veränderungen seit 1936 die Art, in der wir Sportereignisse wahrnehmen und genießen, beeinflußt und geprägt?

Futures

Lassen sich aus der gegenwärtigen Situation des Sports Vorhersagen für die Zukunft treffen? Ich möchte zu dieser Frage vier kurze Bemerkungen einfügen, die den Charakter von ›Futures‹ besitzen, und zwar durchaus in der ökonomischen Bedeutung des Wortes. Anders gesagt: ich werde einige Thesen und Vorhersagen aufstellen, die ›vereinbarungsgemäß in der Zukunft eintreffen werden‹. Wie niemals zuvor ist der aktive Sport in der zweiten Hälfte des 20. Jahrhunderts für große Teile der Weltbevölkerung zu einem Freizeitvergnügen und sogar zu einer Form des Handelns geworden. Neben dieser rein statistischen Feststellung ist der Freizeitsport vor allem durch das Gesundheitswesen in den Stand einer ethischen (und ein weniger leiser auftretend: einer wirtschaftlichen) Verpflichtung erhoben worden. Wir alle sind dazu aufgefordert, durch regelmäßige Körperübungen die Kosten der Krankenkassen zu senken. Aber der Gang ins Fitneß-studio wird auch als Investition in beruflichen Erfolg und Langlebigkeit gesehen und diskutiert (während der Ehrgeiz, seinem Körper eine attraktivere Form zu geben, seltener erwähnt wird).

Gleichzeitig hat sich der Profisport komplett von den Idealen des Amateursports getrennt. Die meisten Spitzenathleten müssen heute nicht mehr so tun, als könnten sie bei nationalen oder internationalen Wettkämpfen mithalten, ohne zumindest für einige Zeit ins Profilager zu wechseln. Der Wendepunkt dieser Entwicklung kam mit den Olympischen Spielen 1984 in Los Angeles und 1988 in Seoul. Zumindest teilweise wurde er durch den Umstand ermöglicht, daß dies die ersten Olympischen Spiele waren, deren Einnahmen (vorwiegend aus der Vergabe von Fernsehrechten und Werbeverträgen) die Summe der Ausgaben überstiegen – was ein entscheidender Wendepunkt war, wenn man berücksichtigt, daß die Olympischen Spiele 1976 in Montreal das Austragungsland noch vor ernste finanzielle Probleme gestellt hatten. Diese neue wirtschaftliche Situation der Olympischen Spiele (und wenig später des gesamten Leistungssports) seit den achtziger Jahren dürfte – weit mehr als ›gemeinnützige

Absichten‹ – für die praktische Idee einer allgemeinen Gewinn-
beteiligung verantwortlich sein, einschließlich der Sportarten,
die, auf sich alleine gestellt, keine Einnahmen erwirtschaften
könnten. Es scheint tatsächlich schwer vorstellbar, daß Zehntausende Zuschauer hohe Eintrittsgelder zahlen würden, um den
Gehern bei ihren bizarren Bewegungen zuzusehen. Unter einer
Marketing-Perspektive jedoch können Geher zur ›interessanten
Bereicherung‹ einer größeren Leichtathletikveranstaltung werden und den Zuschauern ein Ansporn sein, Gesundheitssport zu
betreiben. Tatsächlich haben Fernsehübertragungen (mit ihren
ständig auf den neuesten Stand gebrachten technischen Finessen)
und die Werbeindustrie (mit ihrem Einfluß auf den Fan als potentiellen Käufer) eine unmittelbare Verbindung zwischen den
Millionen von Sporttreibenden und den wenigen Tausend professionellen Leistungssportlern entstehen lassen. Ich bin zum
Beispiel sicher, daß nicht wenige unter den zahllosen Frühsport-
lern in Europa und Nordamerika ein Körperideal vor Augen
haben, das sich an den großen äthiopischen Langstreckenläufern
orientiert. Es wäre vermutlich falsch zu behaupten, daß die Le-
bensweise der Profisportler und der Mehrheit der Bevölkerung
einander annähern, aber die Trennung ist zweifellos weniger ausgeprägt als in der Vergangenheit.

Meine zweite Beobachtung mag banal klingen, doch sie gehört zum Bild des gegenwärtigen Sports und seiner zu erwarten-
den Zukunft. Als Folgeerscheinung jener wirtschaftlichen, politischen und kulturellen Veränderungen, die wir mit dem Begriff
›Globalisierung‹ bezeichnen, scheint die Bedeutung von Nationalität in der Wahrnehmung und Identifikation mit einzelnen
Sportlern oder Mannschaften zu schwinden. Es ist oft gesagt
worden, daß die Bilder weltweit bekannter Sportler – wie der
Williams-Schwestern, David Beckhams, Tiger Woods' oder
Michael Schumachers – den Status globaler Symbole besitzen.
Heißt das aber nicht auch – oder ist dies zu marxistisch interpre-
tiert –, daß die Bedeutung der Nationalität dieser Sportler zu-
nehmend hinter den symbolischen Werten (dem ›symbolischen‹
Kapital) der Marken, die diese Sportler repräsentieren, zurück-
tritt? In einigen Fällen ist das zweifellos der Fall. Michael Schu-

machers Name und Bild sind weltweit wohl stärker mit dem Namen ›Ferrari‹ als mit ›Deutschland‹ verknüpft. Allerdings müssen wir berücksichtigen, daß die Stabilität der Geschäftsbeziehung zwischen Ferrari und Schumacher in der Welt des heutigen Sports eher eine Ausnahme darstellt. Weit typischer sind jene Fußball-Stars, deren Namen nie mit einem bestimmten Sportschuhhersteller in Verbindung gebracht werden, weil mit jedem Vereinswechsel auch der Name des Ausrüsters wechselt. Und selbst wenn es zutrifft, daß Firmennamen heute tatsächlich die Funktion der Nationalität in unserer Wahrnehmung berühmter Sportler übernehmen, verändert sich damit auch die Beziehung der Fans zu ihren sportlichen Helden. Das Begriffspaar ›Schumacher‹/›Deutschland‹ drückt weit mehr eine Gewissensentscheidung als die Anerkennung einer individuellen Leistung aus als ›Schumacher‹/›Ferrari‹. Niemals ist das Ersetzen des einen durch das andere ein bloßes ›Ersetzen‹.

Anknüpfend an unsere erste Beobachtung über die Verbindungen und möglichen Überschneidungspunkte zwischen Spitzensport und Breitensport wäre zu fragen, ob die wechselseitige Beeinflussung beider Seiten zukünftig eine Situation schafft, die über die traditionelle ›Insularität‹ des Sports hinausweist oder sie vielleicht sogar durchbricht. Ich spreche hier nicht etwa wie so viele vom wirtschaftlichen Potential des Sports (das ohnehin häufig überschätzt wird). Vielmehr beziehe ich mich auf die Zahl der Stunden, die Rechtsanwälte, Zahnärzte oder Ingenieure, zumindest in den USA, allwöchentlich auf dem Golf Court oder dem Tennisplatz verbringen – verglichen mit der Zahl der Stunden, die sie ihrer beruflichen Tätigkeit und ihrer Familie widmen. Ich brauche nur mich selbst als Beispiel zu nehmen und die Stunden aufrechnen, die ich vor dem Fernseher oder im Stadion beim Zuschauen von Sportereignissen verbringe. Dabei geht es mir nicht um irgendeinen ›moralischen‹ oder ›politischen‹ (und schon gar nicht um einen ›kritischen‹ oder ›selbstkritischen‹) Standpunkt. Lassen Sie mich deshalb ein weiteres Beispiel anführen, das den Charakter einer trivialen (besser gesagt: einer alltäglichen) Allegorie besitzt. Als ich vor etwa einem Jahr mit einer Gruppe von dreißig College-Studenten einige alte japanische

Häuser in Kyoto besuchte und wir nach japanischem Brauch beim Betreten von Privatwohnungen und religiösen Stätten unsere Schuhe auszogen, stellte ich fest, daß ich als einziger unserer Gruppe keine Turnschuhe trug. Zweifellos hatte keiner der dreißig Studenten an diesem Morgen Turnschuhe an, weil er oder sie vorhatte, Sport zu treiben. Handelte es sich also um eine Allegorie dafür, wie Sport, in der Form von Freizeitkultur, gegenwärtig den Status seiner ›Insularität‹ transzendiert und in unser Alltagsleben eindringt, es erobert und verändert?

Schließlich ist offenkundig, zumindest für Fans, die sich für mehr als nur eine Mannschaft und eine einzige Sportart interessieren, daß mittlerweile in einer wachsenden Zahl von Disziplinen die internationalen Topathleten ein Niveau erreicht haben, das an die absoluten Grenzen menschlicher Leistungsfähigkeit heranreicht. Besonders deutlich wird dies in der Leichtathletik. Es ist beispielsweise schwer vorstellbar, daß der Weltrekord über 100 Meter je unter neun Sekunden liegen wird. So hat es in jüngster Zeit in keiner der ›klassischen‹ Leichtathletikdisziplinen dramatische Durchbrüche oder Leistungssteigerungen gegeben. Und schon lange nicht mehr habe ich von revolutionären Veränderungen in den Trainingsmethoden von Mannschaftssportlern gehört. Es gibt sogar einige Sportarten, darunter der Radsport, in denen die Leistungsprofile innerhalb einer kleinen internationalen Spitzengruppe sich kaum zu verändern scheinen. Wie oft wird Lance Armstrong noch die Tour de France gewinnen – und Jan Ullrich den zweiten, dritten oder vierten Platz belegen, ohne Armstrong wirklich besiegen zu können? Ich erinnere mich, gelesen zu haben, daß es für Armstrongs Sport (und sogar für ihn selbst) nicht von Vorteil sein wird, wenn er die Tour de France ein siebtes Mal gewinnt. Eine Beobachtung, daß die Leistungshierarchie so unbeweglich ist, erklärt, warum Doping im Radsport zu einem so ernsten Thema geworden ist. Manche Sportarten sind davon stärker betroffen als andere – und einige sind vielleicht deshalb grundsätzlich von diesem Problem ausgenommen, weil es für sie keine absoluten ›Leistungsgrenzen‹ gibt. Auch hier möchte ich mich jeder moralischen Beurteilung enthalten. Die einzige Frage, die mich interessiert, ist die Frage, die uns von den Sportwelten der Vergangenheit, Gegenwart und Zukunft zu einer Typologie der Faszinationen des Sports führt. Könnte es sein, daß wir bereits den ersten Schritt in eine Zukunft getan haben, in der immer mehr individuelle Sportarten sich den Grenzen menschlicher Leistungsfähigkeit annähern, was uns dazu bringen könnte, uns mehr für ihren ästhetischen Reiz als für die stagnierenden meßbaren Leistungen der Sportler zu interessieren – wobei ich nicht weiß, ob ich sagen soll, ›sich mehr interessieren‹ oder ›sich zum ersten Mal interessieren‹?

Gegenstände des Gefallens

Woran finden die Zuschauer beim Sport Gefallen, sofern ihr Interesse nicht ausschließlich der Frage gilt, wer gewinnt oder verliert oder welcher neue Rekord vielleicht aufgestellt wird? Was genießen die Zuschauer, vielleicht unbewußt, selbst wenn sie sich nur auf den Sieg oder einen neuen Rekord konzentrieren? Diese Fragen bringen Sport als einen ›Gegenstand‹ ästhetischen Erlebens in den Blick, und es sind vermutlich die entscheidenden Fragen in einem Buch, dessen Absicht es ist, den Sport als Gegenstand des Gefallens für die Zuschauer zu loben.

Lassen Sie mich damit beginnen, einige mögliche Aspekte und Themen auszuschließen. Wenn es in diesem Kapitel nicht um Siege und Rekordleistungen geht, dann bedeutet dies natürlich nicht, daß *Arete* und *Agon* eine bloß nebensächliche Rolle für den Genuß des Zuschauers spielen. Ganz im Gegenteil, kein Sport kommt ohne Wettkampf und das Streben nach Höchstleistungen aus. Nur stehen diese beiden Aspekte nicht im Vordergrund, wenn wir über den Sport als Gegenstand des Gefallens reden. Ebenso werden wir nicht noch einmal auf die Form und die Eigenschaften des Geschmacksurteils zurückkommen, die wir im dritten Kapitel behandelt haben. Wir werden an dieser Stelle nicht vom ›Auge des Betrachters‹ sprechen oder über seine geistige Wahrnehmung und die Emotionen, die er beim Betrachten eines Sportereignisses empfinden mag. Denn wenn es um das Gefallen am Sport geht, ist die Rolle des Zuschauers zweifellos nicht das, was wir als seinen ›Gegenstand‹ betrachten würden.

Noch wichtiger ist es zu betonen, daß es uns nicht um ›Körperbewegungen an und für sich‹ geht. Was uns am Sport fasziniert und was ich als den ›Gegenstand‹ dieses genußvollen Erlebens verstehe, gehört zu einer Phänomen-Dimension, die zwischen dem Ereignis und der Bildung des Geschmacksurteils liegt. Die Gegenstände ästhetischen Erlebens im Sport sind Körperbewegungen in der unterschiedlichen Wahrnehmung und Beurteilung durch die Zuschauer. Ich denke, das Wort ›Faszination‹ wird diesem Zwischenstatus des Gegenstands des ästhetischen Erlebens in besonderer Weise gerecht, weil es auf zweifache Weise die Sonderstellung des ästhetischen Gegenstands reflektiert. Ursprünglich bezog sich der Begriff auf das Auge, das sich von einem bestimmten Gegenstand angezogen fühlt. Andererseits verweist der Ausdruck aber auch darauf, daß der betrachtete Gegenstand immer schon durch den Betrachter selbst geprägt wird. Genau in diesem doppelten Sinne möchte ich im folgenden eine Typologie unterschiedlicher ›Faszinationen des Sports‹ statt verschiedener Arten von Sport oder ›Sport-Typen‹ vorstellen.

Dieser Ansatz macht es nötig, noch einmal zu betonen, worin ich die Funktion solcher Typologien sehe. Es geht ihnen nicht, zumindest nicht hauptsächlich, um die ›Darstellung von Realität‹ und noch weniger um ein ›Abbild der Realität‹. Ihr Zweck ist vielmehr, Unterscheidungen vorzuschlagen und damit semantische Komplexität zu schaffen. Die Begriffe, die durch diese Unterscheidungen bereitgestellt werden, ermöglichen uns, den Gegenstand unseres Gefallens genauer zu betrachten und zu benennen. Phänomene zu betrachten, sie zu benennen und so auf sie aufmerksam zu machen ist womöglich schon alles, was den Vorgang des ›Lobens‹ ausmacht. Vielleicht können wir sogar so weit gehen zu sagen, daß es ›das Geheimnis‹ des Lobes und der epideiktischen Rede überhaupt ist, nichts weiter zu tun, als auf bestimmte Phänomene aufmerksam zu machen und sie genau zu betrachten. Unter dieser Perspektive betrachtet, kommt ›Loben‹ dem ziemlich nahe, was Martin Heidegger einmal über ›Denken‹ gesagt hat.

Nicht jede individuelle Sportart, über die wir reden und für die wir uns begeistern, läßt sich genau einem der Faszinationstypen zuordnen, wie ich sie in diesem Kapitel vorschlage, auch wenn durch die verknappte Form, in der ich einige Dinge darstelle, bisweilen dieser Eindruck entstehen mag. Es ist zweifellos richtig, daß bestimmte Faszinationen oftmals ausschlaggebend für unser Gefallen an bestimmten Sportarten sind: In der Leichtathletik beispielsweise bewundern wir am meisten die körperliche Eleganz. Beim Turnen geht es hauptsächlich um die Ausführung vorgegebener Formen. Jedoch gibt es vermutlich keine

Sportart, deren Reiz sich ausschließlich in bloß einer Faszination erschöpft: Beim Langstreckenlauf geht es außer um Eleganz und Anmut auch um den Kampf der Sportler gegen Erschöpfung und Leiden. In Ballsportarten bewundern wir Epiphanien der Form, die auch erstaunliche Momente von Anmut bergen können. Lassen Sie mich deshalb auf eine überstrapazierte Metapher zurückgreifen, um die Hauptfunktion meiner Typologie zu verdeutlichen: sie soll lediglich als ein ›Instrumentarium von Begriffen‹ dienen, mit deren Hilfe wir das, was unsere Freude beim Zuschauen von Sportereignissen ausmacht, erfassen und loben können.

Bedauerlicherweise macht es die Sache nur komplizierter, wenn ich daran erinnere, daß die unterschiedlichen Faszinationen, die ich beschreiben möchte, auf einer Vielzahl unterschiedlicher Dispositionen seitens der Zuschauer beruhen. Ich meine damit, daß sowohl der erfahrene Turn-Trainer als auch der Zuschauer, der zum ersten Mal eine Kür am Barren verfolgt, Freude an einer Kür empfinden kann. Doch wird aufgrund der unterschiedlichen Sachkenntnis und des unterschiedlichen Grads an Involviertheit der Beteiligung die Art ihrer Freude verschieden sein. Ebenso sollte mittlerweile klargeworden sein, daß solche unterschiedlichen Dispositionen verschiedenen historischen Momenten und kulturellen Kontexten entsprechen. Allerdings werde ich in meiner Beschreibung der Typologie ästhetischer Gegenstände diese unterschiedlichen Dispositionen nicht weiterverfolgen. Zum einen habe ich die Zuschauerhaltungen bereits im vorangegangenen Kapitel als Folge historischer Veränderungen beschrieben, und zum anderen werde ich im anschließenden Kapitel eine nichthistorische Unterscheidung zweier Haltungen vorschlagen, die unterschiedliche Arten des Zuschauens begründen. Schließlich ist zu unserer Typologie noch zu sagen, daß sie als begriffliches Instrumentarium so umfassend wie möglich zu sein versucht. Dies entspricht meiner anfangs getroffenen Entscheidung, Sport als ein Netzwerk von Phänomenen zu betrachten, das auf Familienähnlichkeiten beruht. Natürlich wäre nichts dagegen einzuwenden, wenn jemand den Versuch machte, die ›spezifischen‹ und ›grundlegenden‹ Faszinationen in der Welt des

Sports zu benennen – ich auch kein Geheimnis daraus machen werde, wo meine persönlichen Leidenschaften als Zuschauer liegen. Da aber die Absicht, zu loben, Großzügigkeit voraussetzt, sowohl in intellektueller als auch in emotionaler Hinsicht, glaube ich, daß eine große thematische Offenheit meinem Vorhaben am besten dient.

Die sechs Sportfaszinationen, die ich in diesem Kapitel vorstellen und anhand von Begriffen und historischen Beispielen illustrieren möchte (ohne dieser Zahl irgendeine Entsprechung in der Realität zuzuschreiben), sind mit dem Anspruch verbunden, daß sich mit ihnen die meisten (wenn auch nicht alle) körperlichen Bewegungen, die wir ›Sport‹ nennen, abdecken lassen. Genau in der Weise möchte ich die Metapher des ›Instrumentariums‹ verstanden wissen, daß nämlich Begriffe für unterschiedliche Faszinationen zur Charakterisierung individueller Sportarten benutzt und kombiniert werden können. Die Bezeichnungen für die sechs Faszinationen, die nun vorgestellt werden, sind:

> schöne Körper vorführen,
> dem Tod ins Auge sehen,
> Anmut und Eleganz zeigen,
> die Möglichkeiten des Körpers erweitern,
> vorgegebene Formen verwirklichen,
> Epiphanien der Form produzieren.

Es mag der von mir erhofften Lektüre entgegenlaufen, die sechs Faszinationen aus Gründen der Übersichtlichkeit in dieser etwas starren Form aufzulisten. Eben weil mir eine Diskussion darüber, welche Sportart nun eine größere oder geringere Nähe zu der einen oder anderen Faszination aufweist, wenig fruchtbar erscheint, ist der flexible Gebrauch der vorgeschlagenen Begriffe ein Hauptanliegen dieses Kapitels – was die Möglichkeit einer weiteren Differenzierung oder auch einer Vereinfachung mit einschließt.

Zwei weitere (zugegebenermaßen marginale) Anmerkungen, bevor ich zur eigentlichen Beschreibung dessen komme, was unser Gefallen am Sport ausmacht. Zunächst muß ich mit einiger Verlegenheit gestehen, daß der Reihenfolge, in der ich die sechs unterschiedlichen Faszinationen präsentiere, kein einheitliches Prinzip oder eine feste Regel zugrunde liegt. Das mag daran liegen, daß meine Faszinationstypen von unterschiedlichen Dispositionen auf der Zuschauerseite ausgehen und sich deshalb nicht wirklich miteinander vergleichen oder unter einheitliche Begriffe fassen lassen. Zuzuschauen, wie Sportler beispielsweise attraktive Körper vorführen, dem Tod ins Auge sehen oder flüchtige Formen in ihrem Spiel hervorbringen, das sind allen Sportfans vertraute Faszinationen. Aber nicht all diese Faszinationen liegen auf einer Ebene, und aus diesem einfachen Grund gibt es auch keine natürliche Reihenfolge ihrer Beschreibung. Ebensowenig bedarf die von mir gewählte Reihenfolge (die mehr oder weniger einer wachsenden Komplexität der Phänomene folgt) einer Begründung. Nichts liegt mir ferner, als die Faszinationen des Sports in der Form eines ›Systems‹ zu präsentieren – oder gar als eine ›Grammatik‹ (wie wir alle es mit großem Eifer zur Blütezeit des Strukturalismus getan hätten, einer Zeit, als im Fußball Pelé noch spielte und Franz Beckenbauer auf dem Zenit seiner Karriere stand). Meine zweite und letzte Anmerkung will etwas in Erinnerung rufen. In den Begriffen von Immanuel Kants Ästhetik, auf die ich mich im dritten Kapitel bezogen habe, gehört das, woran wir uns als Sportzuschauer erfreuen, mehr in den Bereich des Schönen als in den des Erhabenen. Wenn ich auf den folgenden Seiten also nicht auf die Unterscheidung zwischen dem ›Schönen‹ und dem ›Erhabenen‹ zurückkomme, dann deshalb, weil sie sich für die Ästhetik des Sports nicht als besonders produktiv erwiesen hat. Die Definition von Schönheit als ›Zweckmäßigkeit ohne Zweck‹ scheint für den Sport weit besser geeignet als der Begriff des Erhabenen als ›Unbegrenztheit‹.

*

Doch jetzt wollen wir in Gedanken in den von Säulen umstandenen Raum des antiken griechischen Gymnasions zurückkehren – allerdings ohne die akademische Aura, welche die antike griechische Kultur für uns so oft umgibt. Stellen wir uns deshalb ein Fitneßstudio in Los Angeles vor. Gymnasien waren Einrichtungen, in denen freie Männer und ihre Söhne sich körperlich ertüchtigten und so ihren Körper in Form brachten. Nacktheit war beim Besuch eines Gymnasions vorgeschrieben. Im Unterschied zu den Fitneßstudios von heute war das Gymnasion auch ein Ort zwangloser intellektueller Unterhaltung. Nicht zufällig entstanden Platons Akademie und Aristoteles' Lyzeum in unmittelbarer Nachbarschaft von Gymnasien. Und wie wir aus einigen im Gymnasion inszenierten platonischen Dialogen wissen, war der intellektuelle Gedankenaustausch dort nie von der Bewunderung attraktiver Körper getrennt.

Welche Ziele verfolgten die jungen (und die nicht mehr ganz so jungen) griechischen Männer, die beträchtliche Zeit darauf verwandten, ihre Körper zu trainieren, und wo lagen die Grenzen ihrer Anstrengungen? Da die Frage nach den Zielen die Griechen nicht besonders gekümmert zu haben scheint, müssen wir aus Mangel an historischen Belegen eine grundsätzliche Ähnlichkeit zwischen dem antiken Gymnasion und dem modernen Fitneßstudio unterstellen und eine Antwort aus der Gegenwart ableiten. Wenn wir die beiden Aspekte von Fitneß und Gesundheitsvorsorge (die vielleicht statistisch bedeutsam, aber ästhetisch irrelevant sind) als Zwecke des körperlichen Trainings ausklammern, dann können wir zwei unterschiedliche Körperideale ausmachen, welche Besucher moderner Fitneßstudios anstreben und die vielleicht auch für die Besucher des antiken Gymnasions Gültigkeit hatten. Beide lassen sich exemplarisch an zwei berühmten Bürgern Kaliforniens aufzeigen. Die buchstäbliche Verkörperung des einen Ideals ist der ehemalige Mr. Universum, Filmschauspieler und gegenwärtige Gouverneur von Kalifornien, Arnold Schwarzenegger. Das Prinzip, das wir mit Schwarzenegger assoziieren, ist das im Prinzip unbegrenzte Wachstum jedes einzelnen Muskels. Aufgrund dieser Zielsetzung sehen die Körper von Bodybuildern im Idealfall aus wie anatomische Modelle. Dennoch gibt es ästhetische Grenzen für ein unbeschränktes Muskelwachstum. Denn die besten anatomischen Modelle sind nicht zwangsläufig die mit den größten Muskeln. Vielmehr sind es Modelle, bei denen die Ausprägung jedes einzelnen Muskels einen schwer zu definierenden harmonischen

Gesamteindruck nicht nur nicht zerstört, sondern exemplarisch verkörpert.

Während Schwarzeneggers Form des Bodybuildings sich als die schrittweise Annäherung an ein Ideal beschreiben läßt, als eine Formel, die auf eigentümliche Weise Nietzsches Satz »Werde, der du bist« entspricht, möchte ich die zweite Form des Bodybuildings mit dem Namen der kalifornischen Philosophin Judith Butler verknüpfen. In *Körper von Gewicht*, ihrem einflußreichsten Buch, hat Butler sich mit der Frage der Verwandlung des Körpers beschäftigt. Sie begreift und beschreibt diese Verwandlung als einen langsamen (und manchmal schmerzhaften) Prozeß, der tägliche Körperarbeit voraussetzt. Daß sie auch über die Grenzen solcher Verwandlungen spricht, über die Erfahrung etwa, daß eine lesbische Frau, die eine bestimmte athletische Körperform anstrebt, dieses Ziel nicht immer erreicht, hat Butler harsche Kritik von Feministinnen eingetragen, die dem Grundsatz des ›Geschlechterkonstruktivismus‹ anhängen (der die Überzeugung vertritt, daß Körper jede selbstgewählte Form erreichen können). Das genaue Gegenteil, nämlich das Beharren auf möglichen Grenzen der Körperverwandlung, ist der Ausgangspunkt von Butlers philosophischer Erkenntnis. Anstatt die Verwandlung von Körpern ausschließlich in Richtung auf bereits existierende Körperideale zu sehen, enthält die Gestaltung und Verwandlung des Körpers das Potential für eine unendliche Zahl neuer und attraktiver Mischformen. Anstatt beispielsweise einen Frauenkörper, der durch Diskuswurf oder Kugelstoßen eine neue Gestalt gewonnen hat, als ›männlichen Typ eines weiblichen Körpers‹ aufzufassen, sollten wir solche neuen Körperformen unter der Prämisse wahrnehmen und uns an ihnen erfreuen, daß sie anders, neuartig und vor allem weder weiblich noch männlich im herkömmlichen Sinne sind.

Allerdings muß man sich fragen, ob die nackten männlichen Körper in den griechischen Gymnasien und die spärlich bekleideten Körper in den heutigen Fitneßstudios tatsächlich zu der Art von Genuß gehören, um den es uns geht. Unser Interesse gilt dem Genuß der Zuschauer, und sowohl das antike Gymnasion als auch das moderne Fitneßstudio stehen nur Leuten offen, die selbst aktiv trainieren. Zuschauer im engeren Sinn des Wortes gibt es dort nicht. Andererseits teilen die Besucher der antiken Gymnasien und zeitgenössische Bodybuilder die Vorliebe, ihre Körper glänzen zu lassen (indem sie Öl oder andere Flüssigkeiten auf ihre Haut auftragen) – eine Praxis, die verrät, daß Bodybuilder andere Bodybuilder als potentielles Publikum betrachten. In diesem Sinn kann man jeden Mann, der damals ins Gymnasion ging, und jeden Mann oder jede Frau, welche heute ein Fitneßstudio besuchen, als Sportler und Zuschauer in einem betrachten. Diese zweifache Rolle bedingt die Aura erotischer Anziehung, welche – unabhängig von den Absichten des einzelnen – das Vorführen attraktiver Körper immer umgeben hat. Aus historischer Perspektive erklärt sie zudem auch, warum das Gymnasion seit dem sechsten vorchristlichen Jahrhundert einer der bevorzugten Orte wurde, an dem griechische Männer der Oberschicht zwei Entwicklungsphasen gleichgeschlechtlicher Liebe kennenlernten – nämlich die des erotisch passiven Knaben und die des aktiven jungen Manns. Ein Trinkgefäß aus der Zeit um 510 v. Chr. zeigt vier homosexuelle Paare beim Liebeswerben im Gymnasion. Alle sind in durchscheinende Gewänder gekleidet, und die vier nur wenig älteren (und ein wenig größeren) Männer umarmen ihre jüngeren Partner, die mit zarten Gesichtszügen und aufwendigen Frisuren dargestellt sind. Drei der älteren Männer strecken ihre Hand nach den Genitalien der Jungen aus. Einer der Knaben blickt buchstäblich zu seinem Liebhaber auf, der ihm sein Gesicht zuneigt. Das Gesicht des Jünglings verrät Schüchternheit, Zutrauen und vielleicht auch einen Funken erwachender Leidenschaft. In seiner rechten Hand hält er ein kleines Gefäß mit Öl, um seinen Körper glänzen zu lassen.

*

Nichts könnte weiter von der Atmosphäre eines antiken Gymnasions entfernt sein als ein Boxring. Denn wenn das erotische Verlangen, das in den Gymnasien herrschte und vielleicht auch in heutigen Fitneßstudios noch zu spüren ist, sich durch Schüchternheit und anfängliche Zurückhaltung auszeichnet, signalisieren die den Boxring umgebenden Seile unmißverständlich, daß es sich um einen Ort der Gewalt handelt. Anhand dieser Gewalt und ihrer Auswirkungen auf die Psyche des Sportlers und Zuschauers möchte ich einen zweiten Faszinationstyp vorstellen. Obwohl wir wissen, daß der Boxsport spätestens seit dem 18. Jahrhundert zahllose Intellektuelle begeistert hat, gibt es doch auch keinen Sport, dessen Zuschauer in so schlechtem Ruf stehen. Dabei ist die Annahme, die für diesen Ruf verantwortlich ist, oberflächlich und in hohem Maße naiv. Boxfans identifizieren sich nicht automatisch mit den Siegern und mit physischer Überlegenheit, die in einem Kampf oft bis an die Grenze der Vernichtung führt. Wie bei den römischen Gladiatorenkämpfen erleben wir beim Boxen – unter den Bedingungen beinahe ungehemmter Gewalt – die inszenierte Konfrontation der Kämpfer mit dem Tod. Boxer können die Bewunderung und Verehrung der Zuschauer nur dann gewinnen, wenn sie einmal den dramatischen und physisch bedrohlichen Moment der unmittelbaren Todesnähe erlebt haben.

Kein anderer Held in der Geschichte des Boxsports zeigt dies so deutlich wie Jack Dempsey, einer der größten Schwergewichtsboxer aller Zeiten. Dempsey selbst brachte dies im Vorwort einer Biographie, die 1929 kurz nach seinem Rückzug aus dem Ring erschien, auf die bescheidene Formel, er sei »vielleicht nicht der beste Schwergewichtler aller Zeiten gewesen«, dennoch war er in den zwanziger Jahren die überragende Figur im Schwergewicht, in einer Zeit also, die als das Goldene Zeitalter des modernen Boxsports gilt. Berühmt war Dempsey weniger für seine Technik und Eleganz (die er in einem gewissen Maß besaß), sondern vielmehr für seine körperliche Energie in Verbindung mit zäher Willenskraft. Er war 1895 als neuntes Kind einer Mormonenfamilie in Manassa geboren worden, einer Bergarbeitersiedlung in Colorado. Auf seinem Weg zum Weltmeistertitel erwarb Dempsey den Spitznamen »the Manassa mauler« (»der Knochenhauer aus Manassa«), eine Bezeichnung, in der sich die Erinnerung an seine soziale Herkunft mit der Wahrnehmung seines Kampfstils verband. Obwohl das Publikum zu seinen Kämpfen strömte – er bestritt den ersten von mehreren Großkämpfen in den zwanziger und dreißiger Jahren, zu denen mehr als 100 000 Zuschauer kamen, und war der Star des ersten Boxkampfs mit mehr als einer Million Dollar Einnahmen –, war Dempsey kein beliebter Champion.

Unter diesen Vorzeichen organisierten Dempseys Promoter nach einer längeren Kampfpause des Champions einen Titelkampf gegen Gene Tunney, einen ehemaligen Marinesoldaten, der als körperlich durchtrainierter und technisch versierter Boxer galt. Der Kampf fand am 23. September 1926 in Philadelphia statt, in einer offenen Arena und bei strömendem Regen. Mit 144 468 Zuschauern war es das größte Publikumsereignis in der Geschichte des Boxens (und eines der größten in der Geschichte des Sports überhaupt). Von der ersten von insgesamt zehn furchtbaren Runden an hatte Dempsey nicht die geringste Chance zu gewinnen, und der absehbare Verlust seines Weltmeistertitels schien dem Publikum zu gefallen. Im folgenden ein Auszug aus der Live-Übertragung im Radio vom Ende der ersten Runde:

> Tunney versetzt Jacks rechtem Kiefer einen Schlag, was Jack allerdings nicht im geringsten bekümmert. Sie stehen in der Mitte des Rings. Jack weicht dem einleitenden Schlag Tunneys aus und bekommt im Gesicht einen leichten Rechtshaken ab. Er zieht sich an die Seile zurück. Wo bleibt nur seine gewohnte Schnelligkeit? Das ist nicht der Jack, den wir kennen. […] Das Publikum brüllt: »Dempsey ist fertig!«, doch den Eindruck habe ich gar nicht. Es ist nur nicht der Jack Dempsey von früher. Mindestens sechsmal hat Tunney ihn mit der Linken und Rechten im Gesicht erwischt, und jetzt trifft er noch einmal sein Auge, als die Glocke ertönt. Erste Runde: Tunney liegt haushoch vorn.

Als Tunney nach weiteren neun Runden, »in weiße Handtücher gewickelt«, zum Punktsieger erklärt wurde, »gab es vom Publikum lauten Applaus für den neuen Champion« – aber nicht mehr als Applaus. Dempsey bot »einen traurigen, erbarmungswürdigen Anblick. Aus Mund und Nase rann Blut, sein linkes Auge, von Schlägen übel zugerichtet, war völlig geschlossen und blutete ebenfalls. Unter dem linken Auge klaffte ein mehrere Zentimeter langer Riß.« Er war schwer angeschlagen, hielt sich aber immer noch auf den Beinen. Dann geschah etwas Ungewöhnliches, etwas, das uns verstehen läßt, daß Dempsey im Verlauf der vernichtenden Niederlage für die Zuschauer zu einem Helden geworden war. Die *New York Times* beschrieb am folgenden Tag den plötzlichen Stimmungsumschwung der Zuschauer nach dem Kampf mit diesen Worten: »Das Publikum verhielt sich zunächst ungewöhnlich still und wenig begeistert. Dann begannen die Leute laut zu werden. Sie schienen ihr eigenes Unbehagen zu vergessen und riefen Dempseys Namen.« Jahre später zog Jack Dempsey in einer anderen Biographie den richtigen Schluß aus dem Ende des Kampfs von 1926: »Zu meinem Erstaunen wurde ich laut gefeiert, als ich aus dem Ring stieg, lauter als jemals zuvor. Die Leute riefen ›Champ! Champ!‹ Könnte es sein, daß die Niederlage in Wirklichkeit ein Sieg war?« Gene Tunney, der sich einige Jahre später als ungeschlagener Schwergewichtsweltmeister aus dem Boxen zurückzog, wurde nie ein beliebter Champion. Dagegen hatte Joe Louis, der in den späten dreißiger Jahren der nächste große Champion nach Dempsey wurde, eine K.-o.-Niederlage gegen den alternden deutschen Champion Max Schmeling hinnehmen müssen, bevor er den Weltmeistertitel errang. Niederlagen sind anscheinend eine notwendige Voraussetzung für Boxer, die einen Platz im Pantheon ihres Sports anstreben.

Wenn aber die größte Faszination des Boxens darin besteht, einen Kämpfer im Ring mit der Gefahr des Todes konfrontiert zu sehen, ist nicht ausgeschlossen, daß strategische Klugheit, technische Perfektion und vor allem die Anmut der Körperbewegungen einen Boxer gleichfalls berühmt machen können. Es waren genau diese angeborenen Qualitäten zusammen mit der noch ungewöhnlicheren Gabe, im richtigen Moment die richtigen Worte zum Ruhm der eigenen Fähigkeiten zu finden, die dem jungen Cassius Clay, dem Goldmedaillengewinner von 1960 und späteren Muhammad Ali, den Ruf des größten Champions aller Zeiten einbrachten. Aber die Kämpfe, für die der ›Größte aller Zeiten« in Erinnerung bleiben wird, die Kämpfe, die seinen einzigartigen Platz in der Geschichte des Boxsports begründeten, waren Kämpfe, die Ali an den Rand des körperlichen Zusammenbruchs führten. Es waren die drei Titelkämpfe gegen ›Smokin'‹ Joe Frazier aus Philadelphia und ganz besonders der legendäre Kampf des alternden Ali gegen den jungen und körperlich weit überlegenen Weltmeister George Foreman, der am 30. Oktober 1974 in Kinshasa stattfand (und zur zentralen Szene in dem Film *Ali* wurde). Gegen die Seile zurückgelehnt, versuchte Ali den Schlägen des Gegners auszuweichen (eine Technik, die er später *rope-a-dope* nannte) und mußte sieben Runden lang schwere Treffer einstecken (vor allem am Brustkorb), bis er die Dynamik des Kampfes in der achten Runde wie aus heiterem Himmel umkehrte und Foreman mit einem blitzschnellen linken Haken, einer Rechten und einem weiteren linken Haken zu Boden schickte. In diesem und in seinem nächsten Kampf, einem knappen Sieg über Joe Frazier, den Ali als seine »Begegnung mit dem Tod« beschrieb, machte der Champion klar, worin die Faszination und die Grenzen des Boxens liegen. In jenen idealen Fällen, die so denkwürdig sind wie Dempseys Niederlage gegen Tunney 1926, geht es darum, in die Nähe des Todes zu gelangen – und wenn möglich wieder zurückzukommen und zuletzt über seinen Gegner zu triumphieren. Anders als beim Stierkampf, der wie das Boxen die Nähe zum Tod zelebriert, gibt es beim Ritual des Boxkampfs nicht die Möglichkeit eines glorreichen Todes im Ring. Der Tod eines Boxers gilt als Unfall, nicht als Teil des Kampfes (es ist vermutlich genau dieser Unterschied, der den Stierkampf außerhalb der Dimension des Sports rückt). Eine Anekdote von den antiken Olympischen Spielen macht die komplexe Bedeutung des Todes für die Kampfsportarten deutlich. Arrhachion von Phigalia hatte den gnadenlosen Wettkampf des Pankration bereits zweimal gewonnen. Im Jahr 564 hatte er sogar die Chance, seinen dritten Sieg zu erringen, doch wurde er von einem sehr viel jüngeren Gegner besiegt, der ihn durch Erdrücken zu Tode brachte, noch ehe der Kampf zu Ende war. Arrhachion wurde nie mehr bewundert als im Augenblick seines athletisch-heroischen Todes, was einer der Gründe dafür gewesen sein muß, daß die Richter beschlossen, ihn – posthum – zum Sieger zu erklären.

Als Gegenstand der Faszination steht der Boxsport allerdings nicht ganz so isoliert und einzigartig da, wie es auf der ersten Blick erscheint. Wie eingegrenzt das erlaubte Maß physischer

Gewalt in einzelnen Fällen auch sein mag (es ganz auszuschließen ist wohl unmöglich), gibt es in allen Sportarten, die eine unmittelbare Konfrontation, d. h. ein ›Duell‹ zwischen zwei Athleten vorsehen, einen Entscheidungsmoment, in dem es um Gelassenheit im Angesicht der Niederlage geht. Ganz offensichtlich ist dies beim Ringen und Fechten der Fall. Eine Schulterniederlage zu vermeiden ist für einen Ringer fast so bedeutend wie der Sieg. Ich denke, daß dieses grundlegende Szenario auch für die gespannte Atmosphäre großer Schachkämpfe gilt – was erklärt, warum Schachgroßmeister heute ein erstaunliches Maß an körperlicher Kondition besitzen müssen. Anders wären sie nicht in der Lage, der Gefahr ihrer physischen Vernichtung mit Gelassenheit zu begegnen.

Gelassenheit, innere Ruhe und Widerstandskraft im Angesicht der Niederlage scheinen auch zentrale Eigenschaften beim Tennis zu sein. Zweifellos gelingen Tennisspielern in ihren Ballwechseln oft erstaunliche Choreographien, was dem Sport eine gewisse Ähnlichkeit mit der Ästhetik der Mannschaftssportarten verleiht. Doch sobald es im Tennis nicht mehr darum geht, den Ball dem Spieler auf der anderen Seite des Netzes ›zuzuspielen‹, entstehen solche vereint hervorgebrachten Formen nur noch gegen die Absicht der Spieler. Schließlich geht es beiden Spielern allein darum, den Gegner mit jedem Schlag zu besiegen, zu demütigen und zu vernichten. In jedem Moment des Spiels trifft genau diese Intention auf beiden Seiten des Netzes in unterschiedlichen Graden der Intensität aufeinander, bei jedem Aufschlag, jedem Punkt, jedem Spiel, jedem Satz und ganz besonders in den dramatischen Situationen des Tie-Breaks und des Matchballs. Wie Boxer besitzen große Tennisspieler eine eigene Mimik, die den Gegner einschüchtern soll. Denken Sie etwa an den bissigen Gesichtsausdruck von Martina Navratilova oder von John McEnroe kurz vor dem Aufschlag. Oder auch daran, wie eiskalt der Händedruck der Spieler über das Netz hinweg am Ende eines großen Matches wirken kann. Wie beim Boxen wird im Pantheon des Tennis denen der Platz verweigert, die diesem Druck nicht standgehalten haben – so wie der deutsche Wimbledon-Sieger Boris Becker, nachdem seine unerschrockenen Teenagerjahre vorbei waren. Schließlich gibt es Sportarten, in denen nicht die bedrohliche Konfrontation mit dem Gegner, sondern äußerste körperliche Erschöpfung die Nähe des Todes bewirkt, wie beispielsweise beim Langstreckenlauf oder beim Bergsteigen. Unter diesem Blickwinkel betrachtet, gehören auch Radrennen wie der Giro d'Italia oder die Tour de France zu dieser Faszination. Diese Sportarten setzen ein besonders hohes Maß an körperlicher Verausgabung voraus. Und oft fährt derjenige, der die Herausforderung des Todes annimmt und in Todesnähe sämtliche Kraftreserven mobilisiert, den anderen buchstäblich davon.

*

Hätte der Begriff ›Anmut‹ nur die oberflächliche, beiläufige Bedeutung, mit der wir ihn (selten genug) im Alltag gebrauchen, hätte ich vermutlich nicht von ›Anmut‹ gesprochen, um damit Muhammad Alis Boxstil zu kennzeichnen. Doch kann ›Anmut‹ (oder ›anmutig‹) mehr als nur ein dekoratives Wort für das Aussehen von Teenagern oder die Bewegungen eines Ballettänzers sein. Es gehört zu den Begriffen, die, wenn man sie nur genauer betrachtet und durchdenkt, das Potential zu überraschenden Einsichten und unerwarteter Bedeutungsvielfalt freigeben. Im folgenden stelle ich den Begriff als Beschreibung einer dritten Faszination vor, die zu unserem Gefallen am Sport beiträgt. In seinem Aufsatz *Über das Marionettentheater* von 1810 entwickelt Heinrich von Kleist einen Begriff von Anmut, der sehr vieles mit dem Empfinden gemein hat, das den Zuschauer beim Sport oft überkommt. Genauer gesagt findet sich das, was Kleist »Grazie« oder »Anmut« nennt, in so vielen unterschiedlichen Sportarten, daß ich fast glaube, es könne sich um das eine Moment handeln, das allen Formen athletischer Schönheit gemein ist.

Kleists fiktiver Dialog, der eigentümlicherweise im Winter »in einem öffentlichen Garten« stattfindet, beginnt damit, daß ein berühmter »Tänzer der Oper« bekennt, wieviel Vergnügen ihm die »Pantomimik der Puppen« macht und daß er in ihrer besonderen Grazie ein Vorbild für seine eigene Kunst sieht. Es versteht sich, daß dieses Lob des Marionettentheaters (also einer volkstümlichen Form der Unterhaltung statt einer kanonisierten Kunstform) zu Kleists Zeiten viel provokanter gewesen sein muß, als es heute das Loben des Sports unter dem Begriff ›ästhetisches Erleben‹ ist. Doch der Kern von Kleists Provokation, zu einer Zeit, als das höchste Ziel der Literatur und der Künste darin gesehen wurde, die intimen Regungen der Seele zu offenbaren, liegt in der Begründung, die der Tänzer für seine Bewunderung der Puppen gibt. Die von ihm genannten Gründe sind das genaue Gegenteil von Intimität. Anstatt hervorzuheben, was Marionetten möglicherweise mit der Form und den Bewegungen des menschlichen Körpers gemein haben, lobt er sie gerade dafür, daß »ihr Tanz gänzlich ins Reich mechanischer Künste« gehöre. Anmut, so gibt uns Kleist zu verstehen, hängt davon ab, wieweit ein Körper und seine Bewegungen sich von Bewußtsein, Subjektivität und deren Ausdruck lösen können. Und die Anmut der Puppen wird dadurch gewährleistet und erhalten, daß sie niemals Selbstbewußtsein entwickeln und dadurch Scham oder Stolz empfinden könnten. Die »Anmut« stellt das normale Wissen über die Beziehungen zwischen dem menschlichen Körper und dem menschlichen Geist auf den Kopf. Sie ermöglicht den Marionetten, wie Kleists Tänzer begeistert festhält, »die Seele im Ellbogen« zu haben und den Boden mit einer Leichtigkeit zu berühren, die zeige, daß sie »der Trägheit der Materie« enthoben seien (der Tänzer bezeichnet die Marionetten als »antigrav«). Und schließlich erinnert uns »Anmut« als ein Gegenstand ästhetischer Erfahrung daran, daß wir als Zuschauer manchmal unfähig sind, ›zu unserem Glück‹ unfähig sind, sollte ich hinzufügen, Körperbewegungen mit irgendwelchen Absichten, Gedanken oder Bedeutungen derer zu verknüpfen, die sie ausführen.

Es ist genau dieser komplexe und angenehm entmenschlichende Eindruck, der dem Stil von Jesse Owens und Wilma Rudolph, den beiden größten Kurzstreckenläufern des 20. Jahrhunderts, seine unvergleichliche Schönheit verlieh – und sie unabhängig von ihren Rekorden unvergleichlich macht. In einem Abstand von weniger als 25 Jahren führten die olympischen Triumphe von Rudolph und Owens eine Leichtigkeit vor, die noch dem heutigen Betrachter den Eindruck vermittelt, daß ihre

Körper und ihre Beine, anstatt Anweisungen des Kopfes zu folgen, von einer höheren Kraft ›gelaufen wurden‹ – vielleicht sogar von einer Art Algorithmus. Wilma Rudolphs Beine waren auffallend, fast schon beängstigend lang, und doch wirkten ihre Bewegungen zu keinem Moment grotesk oder unnatürlich. Anders als ihre Konkurrentinnen, die sich bei den Läufen über 100 Meter, 200 Meter und der 4 x 100-Meter-Staffel ganz auf die Ziellinie konzentrierten, schienen Owens und Rudolph kurz vor dem Ziel geradezu überrascht, als wäre es unangenehm und beinahe schwierig für sie, den Rhythmus ihrer Schritte zu verlangsamen. Filmaufzeichnungen der vier Wettbewerbe, die Jesse Owens 1936 bei den Olympischen Spielen gewann, vermitteln den Eindruck, als wäre es ihm nicht nur peinlich, den Weltrekord im Weitsprung ohne eine ausgefeilte Technik gebrochen zu haben, sondern als wolle er sich obendrein für seine Überlegenheit, sein gutes Aussehen und seinen Charme entschuldigen (obwohl ich sicher bin, daß Owens dies bestimmt nicht ausdrücken wollte – sofern man bei ihm überhaupt von einem bewußten ›Ausdruck‹ sprechen kann). Jedenfalls gehört dieses angedeutete Lächeln, das wie eine Geste der Verlegenheit wirkt, zu seiner Anmut.

Die Struktur und die Regeln der meisten Leichtathletikwettbewerbe sind in besonderer Weise dazu geeignet, Formen von Anmut und Eleganz bereits im Training der Sportler und noch intensiver im Augenblick des Wettkampfs hervorzubringen. Denken Sie an Diskuswerfen, Speerwerfen, Hammerwerfen oder Kugelstoßen, nicht zu vergessen sämtliche Laufwettbewerbe, vom 100-Meter-Lauf bis zum Marathon. Oder, beim Wintersport, an das zeitlupenhafte Gleiten der Eisschnelläufer und an die fließenden Bewegungen der Ski-Abfahrtsläufer, die mit atemberaubender Geschwindigkeit zu Tal stürzen. In jedem Fall besteht die Herausforderung darin, die Leistungsgrenze (schneller, höher, weiter) einer spezifischen Folge von Körperbewegungen (Laufen, Springen, Werfen), die gewissen Regeln unterliegen (ein Läufer beispielsweise kann nicht einfach loslaufen, genau wie ein Diskuswerfer den Diskus nicht von einer beliebigen Stelle aus in eine beliebige Richtung werfen kann), ein Stück weiter nach oben zu verrücken. Durch endlose Wiederholung werden diese Bewegungen automatisch, und das Wissen über das genaue ›Programm‹ des Bewegungsablaufs scheint buchstäblich vom Kopf in die Arme und Beine zu wandern (denken Sie an Kleist), so daß die Bewegungen der Sportler zuletzt kaum noch vom Bewußtsein und von konkreten Intentionen gelenkt zu sein scheinen. Unter der Perspektive des Genusses für den Zuschauer ist es sinnvoll zu behaupten, daß der Wunsch der Sportler nach Höchstleistungen grundsätzlich Anmut befördert. Aus dieser Sicht ist Anmut weit mehr als ein ›Nebenprodukt‹ des Wettkampfs. Aber kann die geringe Bedeutung von *Agon*, kann das Fehlen des direkten Wettstreits, das die Leichtathletikdisziplinen außer den Laufwettbewerben kennzeichnet, auch erklären, warum sie bis auf wenige Ausnahmen nie ein großes Zuschauerinteresse wecken und diejenigen, die sich dafür begeistern, meist selbst aktive Sportler der jeweiligen Sportart sind?

Schließlich enthält und fördert athletische Anmut die Hoffnung, der menschliche Körper könne zu einem Naturzustand zurückkehren – und damit den Traum, der Körper könne von der Herrschaft des Geistes und des Verstandes erlöst werden. Vielleicht noch selbstverständlicher als die Leichtathleten (die einzigartigen, unumstrittenen Ausnahmeathleten ausgenommen) verkörpern Schwimmer dieses Versprechen, indem sie den Wunsch nach einer Rückkehr ›zu den Elementen‹ verkörpern und wachhalten. Ungeachtet der komplexen Ausrüstung beim Golf gehört ein perfekter Schwung ebenfalls in diesen Zusammenhang – und es ist interessant zu beobachten, daß es nicht einfach dem Willen des Golfers unterliegt, den richtigen Schwung zu finden oder auch zu verlieren. Wenn meine Erinnerungen nicht gar zu überspannt sind, dann kann sogar die Bewegung eines Ruderboots oder das Gleiten einer Segeljacht Anmut besitzen, was nur den Eindruck bestätigt, daß Eleganz weniger als alle unsere übrigen Faszinationen an irgendeine besondere Sportart gebunden ist.

So provokant das klingen mag, selbst Anmut und Gewalt schließen einander nicht aus. Muhammad Alis Bewegungen wären nicht weniger elegant gewesen, wenn er als Boxer einen härteren Schlag gehabt hätte (Teófilo Stevenson, der dreimalige kubanische Goldmedaillengewinner im Schwergewicht bei Olympischen Spielen in den siebziger und achtziger Jahren, war der einzige Boxer, der es an Eleganz mit Ali aufnehmen konnte und ihn an Schlagkraft vermutlich übertraf). Auch wenn die Körper einiger der berühmtesten Gewichtheber (zumindest in den höheren Gewichtsklassen) an Sumo-Ringer erinnern, haben die entscheidenden Momente eines Wettkampfs für mich durchaus Eleganz, wenn Konzentration, unglaubliche Muskelkraft und beinahe ebenso unglaublich schwere Eisenkugeln auf einen Augenblick des Alles-oder-nichts hinsteuern. Ein besonders schönes Beispiel für diese Verschmelzung von Eleganz und Gewalt, die wie ein Paradox anmutet und dabei nur eine weitere unliebsame, aber interessante Wahrheit über den Sport offenbart, ist der japanische Kampfsport Kendo. Kendo-Kämpfer tragen eine Ausrüstung, die auf westliche Zuschauer archaisch wirkt, und sie benutzen eine Waffe aus Holz, die entfernt an ein Schwert erinnert. Streng genommen ist Kendo eine gewaltlose Sportart, weil die Waffe die des Gegners nie berühren darf, geschweige denn dessen Körper. Es ist vermutlich diese Regel (die ebenso zahllose Interpretationen ermöglicht, welche auf dem für den Zen-Buddhismus zentralen Gedanken des ›Abstands‹ basieren), die den Bewegungen der Kendo-Kämpfer, ihrem plötzlichen Vorstoßen und Zurückweichen, eine behende Schnelligkeit verleiht, eine Schnelligkeit, die so leicht und energiegeladen ist wie eine Sprungfeder. Am meisten aber schätze ich am Kendo (weil es zeigt, wie richtig Heinrich von Kleists Ahnung war), daß niemand diesen Sport je als Ausdruck von Bedeutung mißverstehen könnte.

*

Seit den Jahrhunderten der griechischen und römischen Antike haben Pferderennen große Zuschauermengen angezogen, und das mit einer Kontinuität, die unsere Beobachtung einer spezifischen Entwicklung in der Geschichte des Sports beinahe zu widerlegen scheint. Zweifellos sind diese Wettkämpfe auch eine Herausforderung unserer Definition, nach der jeder Sport auf spezifischen Bewegungen des menschlichen Körpers beruht –

und zwar ausschließlich des menschlichen Körpers. Autorennen, einer der populärsten und finanziell einträglichsten Zuschauersportarten der Gegenwart, stellt uns vor die gleichen Probleme, und wir können gleich noch als drittes (weniger augenfälliges) Beispiel die breite Palette der Schießsportarten hinzufügen. Anders als Computerspiele setzen alle drei Beispiele eine aktive Körperbeteiligung voraus. Dennoch ist das Verhältnis des Körpers zu einem Pferd, einem Rennwagen oder einem Schußapparat deutlich ein anderes als beispielsweise zu einem Diskus oder zu einem Speer. Pferde, Autos, Motorräder und Fahrräder (zu einem gewissen Grad), Gewehre und Bögen sind nicht einfach nur Objekte, an denen sich die Stärke oder das Geschick desjenigen, der sie benutzt, zu beweisen hat. Die Faszination von Sportarten, in denen Pferde, Maschinen und Gewehre gemeinsam mit dem menschlichen Körper Bewegungen hervorbringen, beruht auf der Verschmelzung nichtmenschlicher Elemente mit dem menschlichen Körper. Nach dem Vorführen attraktiver Körper, der Konfrontation mit dem Tod und der Anmut von Bewegungen ist dies das vierte eine bestimmte Gruppe von Sportarten kennzeichnende Prinzip, das ich näher untersuchen möchte.

Wir können in einem doppelten Sinn von ›Erweiterungen‹ oder ›Komplexifizierungen‹ des Körpers sprechen. Zunächst einmal kann der menschliche Körper in Verbindung mit bestimmten Tieren oder technischen Geräten die Grenzen menschlicher Leistungsfähigkeit überschreiten. In den meisten Fällen dienen solche Überbietungen dazu, die Geschwindigkeit unterschiedlicher Körperbewegungen um ein vielfaches zu steigern. Mit Hilfe eines Pferdes oder eines Autos kann ein Körper sich fast unendlich schneller bewegen, als wenn er allein auf die Kraft seiner Beine angewiesen wäre. Ebenso können wir durch die Geschwindigkeit eines Pfeils oder einer Kugel andere Körper (oder auch nichtmenschliche Ziele) viel härter und mit größerer Präzision treffen als mit unseren bloßen Fäusten. Der Traum, den Pferde, Rennwagen und Gewehre in einigen Fällen erfüllen, ist der Traum von hybriden Körpern, die durch diese Verbindungen schneller und mächtiger werden. Der zweite Aspekt der Komplexifizierung von Körpern ist schwieriger zu beschreiben und kommt der besonderen Herausforderung näher, die sie an den Sportler stellt. Statt auf die Steigerung der Leistungsfähigkeit bezieht sich dieser zweite Aspekt auf die tatsächliche Verbindung, metaphorisch gesprochen auf die ›Konstruktion der Schnittstelle‹, durch die Körper und ihre Erweiterungen miteinander verbunden sind. In allen zu dieser Gruppe gehörenden Sportarten beruht Erfolg auf einem speziellen und unvermeidlichen Paradox, das aus dieser Verbindung resultiert: je perfekter es dem Sportler gelingt, seinen Körper der Form und den Bewegungen des Pferds, des Wagens oder des Gewehrs anzupassen, desto besser wird er sie kontrollieren und desto mehr wird er die Leistungsfähigkeit seines erweiterten Körpers steigern.

Es ist sprichwörtlich, daß ein Jockey, der ständig die Peitsche schwingt, am Ende langsamer ist als der Jockey, der seine Körperbewegungen dem Lauf des Pferdes anpaßt. In unserer Wahrnehmung vom Finish eines Pferderennens wird der Körper des Jockeys, flach über den Hals des Pferdes gebeugt, buchstäblich immer länger, während er ganz mit dem Rhythmus des Tieres verschmilzt. Es ist genau dieses dynamische Bild, mit dem Fans sich an berühmte Pferde und ihre Reiter erinnern: Citation und Eddie Arcaro zum Beispiel oder Secretariat, Seabiscuit und ihre beiden Jockeys (die auffallend prosaischen Namen von Rennpferden wären als protoliterarisches Phänomen eine eigene Untersuchung wert). Beim Dressurreiten ist die Einheit von Pferd und Reiter und die von ihnen erzielte Harmonie nicht nur eine Voraussetzung, die über Sieg oder Niederlage entscheidet, sondern der eigentliche Kern des Wettbewerbs. Mit sechs Gold- und zwei Bronzemedaillen bei Olympischen Spielen sowie zahlreichen Weltmeistertiteln in den siebziger und achtziger Jahren gehörten Ahlerich und Dr. Reiner Klimke (Dressurreiter haben eine spezielle Beziehung zu akademischen Auszeichnungen und aristokratischen Titeln) nicht nur zu den Erfolgreichsten ihrer Sportart, sondern wurden ganz besonders für ihr perfektes beiderseitiges Verständnis bewundert (wobei der Ausdruck ›Verständnis‹ eine Harmonie bezeichnet, die nicht auf Begriffen basiert).

Im Motorsport wird die entsprechende Leistung mit dem

Wort ›Set-up‹ bezeichnet. Abhängig von der jeweiligen Rennstrecke, der Konkurrenz, den Wetterbedingungen und dem Zusammenspiel mit den Mechanikern an der Box, verwenden Rennfahrer mehrere Tage auf die Feineinstellung ihrer Wagen, indem sie unter den gegebenen Bedingungen ihre besonderen Stärken zu maximieren und ihre Schwächen, so gut es geht, zu neutralisieren versuchen. Eine kurvenreiche Rennstrecke verlangt ein anderes Set-up als eine Strecke mit langen Geraden. Wirklich große Fahrer wie Tazio Nuvolari und Juan Manuel Fangio, Jochen Rindt und Niki Lauda, Ayrton Senna und Michael Schumacher erzielen ihre Vorteile durch die Kombination von technischem Know-how und intuitiven Entscheidungen über das ideale Set-up. Selbstverständlich kann man dieses Talent entwickeln, aber man kann es unmöglich erlernen. Hinzu kommt, daß Spitzenfahrer sich auch in einer Reihe anderer Qualitäten auszeichnen müssen, die der Rennsport mit anderen Sportarten teilt: Sie müssen die Fähigkeit besitzen, im wahrsten Sinne des Wortes für mehrere Stunden in ›fokussierter Wachheit‹ zu sein; sie müssen über Stunden im Angesicht des Todes leben – eine Anspannung, die erst in dem Moment verfliegt, in dem sie die Ziellinie überfahren; und sie müssen ein hohes Maß an Ausdauer besitzen. Diese zusätzlichen Herausforderungen sind vermutlich der Grund für das immense Zuschauerinteresse an Formel-1-Rennen und Nascar-Rennen, obwohl sie dem Zuschauer auf der Tribüne immer nur Bruchstücke des laufenden Wettbewerbs bieten. Für die Zuschauer eines Rennens besteht die Präsenz von Größe in der zentaurhaften Silhouette des mit seinem Wagen verschmolzenen Fahrers, dem sie zujubeln, während er mit voller Geschwindigkeit mehrmals an einem Nachmittag an ihnen vorbeirast, und diese Silhouette würde ihren Reiz verlieren, wenn sie jemals ihr Tempo verlangsamen oder sogar stehenbleiben würde, um dem Zuschauer einen genaueren Blick zu ermöglichen.

Deutlich klarer als bei der Struktur der meisten anderen Sportarten hat die Mehrheit dieser Körperkomplexifizierungen ihren Ursprung (und oft auch ihre parallelen Formen) in bestimmten Alltagspraktiken. Während ein solcher Ursprung vielen Fans die

Identifikation mit ihren Stars und deren besonderer Situation erleichtert (jeder Autobesitzer kann sich als Kollege von Michael Schumacher fühlen), ist die Wahrnehmung einer Differenz zwischen der Alltagspraxis und dem jeweiligen Sport nicht allein aus praktischen Gründen wünschenswert (Ausländer beklagen sich oft – verständlicherweise – über einen ›Formel-1-Fahrstil‹ auf deutschen Autobahnen). Die Wahrnehmung des Unterschieds zwischen Alltag und Sport ist tatsächlich eine Voraussetzung für die anhaltende Begeisterung der Fans. Das deutsche Sprichwort »Alles Glück dieser Erde liegt auf dem Rücken der Pferde« beschwört den Traum, ein perfekter Reiter zu sein, der erste und einzige Reiter eines vollkommenen Pferdes – was vielleicht nichts anderes ist als der Traum, eins zu werden mit Bewegungen der Natur.

*

Es gibt auf der Bühne des Sports ein Nebenphänomen, das viele Fans verachten. Ich meine die ›Punktrichter‹, deren Beurteilung der einzelnen Leistungen in Sportarten wie Eiskunstlauf, Skispringen, Turnen und Kunstspringen über Sieg und Niederlage entscheiden. Ich sehe vor allem zwei Gründe – einen trivialen und einen für die Ästhetik des Sports ausgesprochen interessanten Grund –, die erklären, warum Punktrichter als ›notwendiges Übel‹ geduldet werden. Der triviale Grund für den schlechten Ruf der Punktrichter liegt darin, daß aufgrund des Fehlens objektiver Kriterien und Maßstäbe, wie sie in vielen anderen Sportarten existieren, Zuschauer bei Turn- oder Eiskunstlaufwettbewerben oft zu der Einstellung neigen, die Punktrichter verhielten sich genau dann richtig, wenn sie ihren persönlichen Favoriten die höchsten Noten verleihen – und sie für parteiisch, nationalistisch oder schlichtweg bestochen ansehen, wenn sie es wagen, anderen Athleten eine höhere Punktwertung zuzusprechen. Das Problem trifft natürlich prinzipiell auf jedes Richteramt zu, nicht nur im Sport. Punktrichter, Sportler und Zuschauer werden also weiterhin mit dieser Reaktion leben müssen.

Der interessantere Grund für die Unzufriedenheit mit der Rolle der Punktrichter verweist auf eine grundlegende Asymmetrie, auf eine Spannung oder sogar ein Ungleichgewicht zwischen dem, was Punktrichter nun einmal tun müssen, und unserer weitgehend vorbewußten, aber sehr tief sitzenden Vorstellung von Sport. Was uns an Sportereignissen begeistert und was wir an großen Sportlern bewundern, ist deren Fähigkeit, die Dinge geschehen zu lassen. Das geschehen zu lassen, was unmöglich zu erreichen scheint, auszubrechen, »in der Zone zu sein«, wie einer meiner Studenten, der Footballspieler JR Lemon, es nennt. Alle diese Beschreibungen verweisen darauf, daß wir beim Sport Körper und Bewegungen im Abstand von der Welt der bewußten Absichten und der Kontrolle erleben wollen. Etwas wird in den großen Momenten des Sports mit diesen Körpern geschehen, etwas, für das sie nicht gemacht sind. Fast möchte ich so weit gehen, zu sagen, daß die Ablehnung aller expliziten ästhetischen Kriterien und Diskurse entscheidend für den ästhetischen Reiz des Sports ist. »Dinge geschehen zu lassen« ist in diesem Sinne jedoch eine Voraussetzung (und die Ablehnung aller formalen Kriterien eine beinahe notwendige Folge), die der Aufgabe des Punktrichters strikt zuwiderläuft. Denn da der Akt des Bewertens unweigerlich an die Funktion (und meist auch an das ausdrückliche Ziel) gebunden ist, Individuen Verdienste zu- bzw. abzusprechen, muß er auf der Existenz von Subjekten beharren, und das heißt auf der Existenz von Absichten oder Programmen. Gibt es einen Ausweg aus diesem Dilemma? Ich glaube nicht, solange wir den Aspekt des Wettstreits in Sportarten, die Punktrichter voraussetzen, nicht einfach ausklammern. Ohne den Wettkampfaspekt allerdings handelte es sich nicht mehr um Sport.

Es gibt zwischen dem trivialen Aspekt des Ärgers über Punktrichter und der Rolle von Punktrichtern als unvermeidlichem Problem genügend Platz für berechtigte Kritik – und für Verbesserungen. Man kann beispielsweise hoffen, daß einige Punktrichter ein größeres Bewußtsein für die Tatsache entwickeln, daß Geschmack ständigem historischem Wandel unterliegt. Das hat in den vergangenen Jahrzehnten vor allem die Entwicklung im Skispringen gezeigt, wo sich ein neuer, athletischer Stil durchgesetzt hat (und von den Punktrichtern erstaunlich positiv aufgenommen wurde). Demgegenüber scheinen der Eiskunstlauf und zumindest einige Formen des Turnens unter dem Ehrgeiz der Punktrichter zu leiden, längst überholte ›ästhetische‹ Standards hochzuhalten, die sie für den Inbegriff der Kunst halten. Wenn ein Großteil der Zuschauer sich trotz des kleinbürgerlichen Geschmacks einiger Punktrichter ein Interesse am Eiskunstlauf, Skispringen, Kunstspringen und Turnen bewahrt hat, dann liegt das an der unter den herausragenden Athleten dieser Sportarten verbreiteten Haltung, die eine Ablehnung expliziter ästhetischer Kriterien zu beinhalten scheint und sich damit ausdrücklich gegen das offizielle Ideal ihres Sports stellt. Doch bevor ich zu erklären versuche, wie solche Ausnahmeathleten sich dem Problem der Punktrichter stellen, müssen wir fragen, worin die Faszination ihres Sports liegt.

Die Faszination des Eiskunstlaufs beispielsweise kann als die Herausforderung beschrieben werden, einen Körper zu einem bestimmten Moment und innerhalb eines vorgegebenen Zeitraums einer festgelegten Abfolge von komplexen Formen anzupassen. Eine andere, metaphorische Beschreibung des gleichen Sachverhalts wäre zu sagen, daß es beim Turnen und Kunstspringen um eine Epiphanie von Körpern (als Substanz) geht, die komplexe vorgegebene Formen ausfüllen. Den Punktrichtern zu gefallen bedeutet wortwörtlich ihren Form-Erwartungen zu entsprechen. Man verschiebt die Grenzen dieser Sportarten, wenn man die Komplexität ihrer Formen steigert. Genau das haben die Ausnahmeathleten unter den Turnern, Kunstspringern, Skispringern und Eiskunstläufern geschafft, anstatt sich damit zu begnügen, ihre Körper immer perfekter den (oft altbackenen) Kriterien des Geschmacks der Punktrichter anzupassen. Japanische Turner, darunter der unvergessene Takashi Ono, veränderten ihren Sport in den fünfziger und sechziger Jahren mit Übungsteilen, deren Formen ebenso anmutig wie wagemutig waren – und stellten damit eine respektvolle Distanz zwischen sich und der eher versteinerten deutschen Tradition des Turnens her, die den militärischen Wert von Körpersymmetrie und Körperkontrolle innerhalb eines weitgehend starren Kanons von Formen betont hatte. Der einschneidendste Moment in der

Geschichte des Turnens war wohl der Auftritt der vierzehnjährigen Rumänin Nadja Comaneci bei den Olympischen Spielen 1976 in Montreal. Sie veränderte das Frauenturnen zu einem Zeitpunkt, als der unter dem Einfluß der russischen Balletttradition stehende Stil der Sowjetriege sich international als normativer Stil durchgesetzt hatte. Nadja Comaneci verzauberte die Punktrichter und das Publikum nicht nur mit einer Anmut, die immer das Privileg junger Mädchen sein wird. Ihre Übungsteile waren, auch objektiv gesehen, komplexer und mit einer Schnelligkeit vorgeführt, die noch keine Turnerin erreicht hatte. Indem sie zu einem direkten sportlichen Anspruch zurückkehrte (und vermutlich kaum über ästhetische Fragen nachdachte), erfand und verkörperte Nadja Comaneci ein neues, verblüffend komplexes Ideal von Schönheit im Turnen.

Mehr als zehn Jahre später vollzog der Amerikaner Greg Louganis einen ähnlichen Wandel im Kunstspringen. Auf den ersten Blick schien Louganis im Vergleich mit seinen Konkurrenten aus der Volksrepublik China deutlich benachteiligt. Er war muskulös gebaut und weniger schlank als die chinesischen Athleten, was ihm erschwerte, seinen Körper den schwierigsten Sprüngen anzupassen. Doch ging Louganis in den entscheidenden Momenten seiner Karriere höhere Risiken ein als die anderen Springer, indem er komplexe, innovative und riskante Sprünge wagte (für die er manchmal mit Verletzungen und Niederlagen bezahlte). Allein aufgrund seines Wagemuts gelangen Louganis Sprünge, nach denen alle wußten, daß er den Wettkampf gewonnen hatte, noch ehe das Urteil der Punktrichter bekannt wurde. Wie nur ganz wenige Athleten gab Greg Louganis seinem Publikum das Gefühl, wirkliche Größe zu erleben.

*

Seit knapp einem Jahrhundert begeistern Mannschaftssportarten, die mit einem Ball oder mit dem Äquivalent eines Balls gespielt werden, mehr Zuschauer als jeder andere Sport. Mit ihnen wollen wir uns als letzter Faszination des Sports beschäftigen. Von einem gewissen Abstraktionsniveau aus betrachtet, ist ihre Popularität ein internationales oder – wie wir heute sagen –

ein globales Phänomen. Selbst wenn es regionale Vorlieben gibt, die dem weltweiten Vormarsch des internationalen Fußballverbands trotzen – auf der Südhalbkugel konkurriert Rugby mit Fußball, und in den USA, der Karibik, Japan und Korea ist Baseball der unumstrittene Volkssport, während Kricket in all jenen Ländern beheimatet ist, die einst zum britischen Empire gehörten –, es gibt auf der heutigen Welt nicht ein Land, in dem sich nicht wenigstens eine Ballsportart einer breiten Publikumsgunst erfreut. Andererseits darf man nicht übersehen, daß die Faszination für Ballsportarten ebenso historisch spezifisch wie geographisch global ist. Erst seit Beginn des 20. Jahrhunderts wurden die Ballsportarten von einer Woge der Begeisterung getragen, die sich mit der heutigen Situation vergleichen läßt. Insofern ist die Vorstellung durchaus berechtigt, daß sie uns vielleicht generellen Aufschluß darüber geben können, warum der Sport im allgemeinen eine so große Bedeutung für die heutige Weltbevölkerung gewonnen hat – und vielleicht können sie uns auch dabei helfen, zu verstehen, was am Sport im Unterschied zu früheren Epochen die Leidenschaft der Menschen von heute bewegt und anzieht.

Ich habe den Eindruck – der natürlich nichts als die Voreingenommenheit meiner eigenen Generation sein könnte –, daß die Mitte des 20. Jahrhunderts die glanzvolle Zeit im Jahrhundert der Ballsportarten war. Oder etwas vorsichtiger formuliert: Obwohl niemand zweifelt, daß die stärksten Mannschaften von heute die größten Mannschaften der Vergangenheit schlagen würden, gibt es keine einzige Ballsportart, deren Fans die Gegenwart für ihr ›Goldenes Zeitalter‹ halten würden – so wie man etwa die zwanziger Jahre für das Goldene Zeitalter des Boxsports oder des Langstreckenlaufs hielt. Die große Zeit des Baseballs war ohne jeden Zweifel das zweite Viertel des vergangenen Jahrhunderts, als Babe Ruth, Lou Gehrig und der junge Joe DiMaggio die großen Stars waren. Die überragende Mannschaft jener Jahre waren die New York Yankees (die Boston-Red-Sox-Fans mögen mir verzeihen und sich daran erinnern, was ich in einem der vorherigen Kapitel über die besondere Faszination ihrer Mannschaft gesagt habe). Ein Kandidat für die spielerisch perfekteste und innovativste Profimannschaft im American Football sind die San Francisco 49ers der achtziger Jahre mit Joe Montana, Roger Craig und Jerry Rice. Die Blütezeiten im Basketball und Eishockey reichen vermutlich noch näher an unsere Gegenwart heran, waren aber mit dem Abschied von Michael Jordan und Wayne Gretzky zu Ende, die beide gleichermaßen Favoriten für den Rang der größten Athleten in ihrer jeweiligen Sportart sind. Noch eindeutiger als in den anderen Ballsportarten war die Zeit zwischen den fünfziger und achtziger Jahren das ›mythologische‹ Zeitalter im Fußball. Edson Arantes do Nascimento, genannt ›Pelé‹, der brasilianische König des Weltfußballs, spielte damals, ebenso Mané Garrincha, Alfredo di Stefano, Ferenc Puskas, Gianni Rivera, Sandro Mazzola, der gewandte Eusébio und der unvergleichliche George Best, Johan Cruyff, Franz Beckenbauer und der unberechenbare Diego Maradona. Das waren die ruhmreichen Jahre der ungarischen Nationalelf, die unglücklich im Finale der Weltmeisterschaft von 1954 gegen Deutschland verlor; von Real Madrid, dessen Siege den Titel des Europapokalsiegers so hell erstrahlen ließen wie den des Weltmeisters; und der brasilianischen Nationalmannschaft, die 1958 in Schweden den ersten von mittlerweile fünf Weltmeisterschaftstiteln errang. Es mag trivial erscheinen – weil die Wahrheit manchmal trivial ist –, wenn ich sage, daß die Namen der fünf Stürmer (es gab tatsächlich einmal fünf ausschließlich ›offensive‹ Spieler im Fußball) im brasilianischen Team von 1958 wie Samba klingen: Garrincha, Didi, Vavá, Pelé, Zagalo.

Das alles könnte reine Nostalgie sein, hervorgerufen durch das Problem (wenn es denn ein Problem ist, nostalgisch zu sein), daß es aufgrund der großen Zahl herausragender Spieler einfach schwieriger geworden ist, sich einen so ruhmreichen Namen zu erwerben wie in der Vergangenheit. Andererseits ist unbestritten, daß gerade im Fußball, der populärsten aller populären Ballsportarten, in der ständig über neue Stile, neue Strategien und die größte Effizienz der Teams geredet wird, die am meisten bewunderten und erfolgreichsten Spieler und Mannschaften auch heute noch genau diejenigen sind, die uns am stärksten an die goldene Zeit des Fußballs um die Mitte des letzten Jahrhunderts erinnern. Die brasilianische Nationalelf und Dutzende von brasilianischen Spielern in sämtlichen Profiligen der Welt haben in den vergangenen zwei Jahrzehnten mehr Einfluß ausgeübt als jede andere Gruppe von Spielern in der Geschichte des Fußballs – obwohl sie die eher abstrakten, pragmatischen und ›modernen‹ Erwartungen der europäischen Trainer und Kritiker nie wirklich erfüllen. Portugal wurde 2004 zwar nicht Europameister, aber niemand wird bestreiten, daß diese Mannschaft während der Monate, in denen mein Buch entstand, den schönsten Fußball spielte. Selbst unter den brasilianischen Superstars wird der ballverliebte und nicht immer sehr effiziente Ronaldinho (der in der Saison 2004/05 für den FC Barcelona spielt) mehr bewundert als Real Madrids erfolgreicher Torjäger Ronaldo. Zinédine Zidane, der vielleicht größte Fußballer unserer Zeit, ist weder der schnellste, noch schießt er so viele Tore wie Ronaldo. Doch die Eleganz seiner Bewegungen und seine Pässe sind jenseits aller Diskussion. Und obwohl keine afrikanische Mannschaft je auch nur in die Nähe eines Weltmeisterschaftstitels gekommen ist, gibt es viele Fans wie mich, die wünschen und glauben, daß der manchmal nostalgisch anmutende afrikanische Fußball der Fußball der Zukunft sein sollte.

Warum aber habe ich mich zu einer nostalgischen Schwärmerei über die Ballsportarten hinreißen lassen, anstatt ein weiteres Mal nachzuforschen, worin die Faszination dieser Sportarten liegen könnte? Eine mögliche Antwort ist, daß diese Schwärmerei mehr als eine nur begriffliche Grundlage für mein zentrales Argument über die Faszination des Ballsports geliefert hat. Denn was uns an Ballsportarten begeistert, sind nicht allein Tore, *touchdowns*, *home runs*, Dreier und *slam dunks* – es sind ebenso schöne Spielzüge, wie unterschiedlich ein schöner Spielzug in den verschiedenen Sportarten auch aussehen mag. Genauer kann man sagen, daß der schöne Spielzug eine Epiphanie der Form darstellt. Wir wissen intuitiv, was eine ›Form‹ ist, nämlich das, was uns die Wahrnehmung eines Phänomens in seiner Abgegrenztheit und Besonderheit ermöglicht. Unter den zahllosen Definitionen von ›Form‹ hebt die des Soziologen und Philosophen Niklas Luhmann den Aspekt der Abgrenzung am deutlichsten hervor. Für Luhmann bedeutet Form das paradoxe Ineinanderfallen der Differenz von Selbstreferenz und Fremdreferenz. Das heißt nichts anderes, als daß wir jedes Phänomen als ›formhaft‹ bezeichnen, welches sich unseren Sinnen und unserer Erfahrung deutlich unterschieden von allem darbietet, das nicht zu ihm gehört.

Was wir an einem schönen Spielzug im Ballspielen am meisten schätzen, ist seine Verwirklichung als Epiphanie. Wie können wir den Begriff ›Epiphanie‹ erklären? Ein von mehreren Spielern hervorgebrachter schöner Spielzug ist nicht nur eine komplexe Form, sondern auch eine verkörperte Form. Die Tatsache, daß die komplexe Form des Spielzugs Substanz besitzt und daß die Körper der Spieler diese Substanz sind, ist einer der beiden Aspekte, die wir mit dem Begriff ›Epiphanie‹ hervorheben. Aber ›Epiphanie‹ bezieht sich auch auf Form als Ereignis, genauer gesagt: er bezieht sich auf eine Form, die plötzlich in Erscheinung tritt. Schöne Spielzüge sind aus zwei Gründen überraschend. Selbst wenn es sich bei der von einer Mannschaft auf dem Rasen, dem Eis oder dem Basketball-Court realisierten spezifischen Form um eine sogenannte Standardsituation handelt, einen Spielzug also, der genau einstudiert und unendlich geübt wurde, wird er dem normalen Zuschauer neu und überraschend vorkommen. Zweitens sind im Ballsport als schöne Form auftretende Spielzüge deshalb überraschend, auch für den Trainer und selbst die Spieler, weil sie gegen den Widerstand der Abwehr der gegnerischen Mannschaft realisiert werden müssen – und weil deshalb niemals sicher ist, ob dies tatsächlich gelingt. Während die Mannschaft im Ballbesitz durch den Versuch, mehrere aufeinanderfolgende Spielzüge als Formen zu entwickeln, ein Prinzip der Negentropie verfolgt, ist es das Ziel der gegnerischen Abwehr, den entstehenden Spielzug zu verhindern oder zu zerstören. Aus diesem Grund wird die Abwehr als Drohung des Chaos wahrgenommen (oder als Verkörperung des Prinzips der Entropie).

Neben der Tatsache, daß er komplex, substantiell und überraschend erscheint, ist der schöne Spielzug auch eine temporalisierte Form. Das bedeutet, daß er ungeachtet der Schönheit im Moment seines Entstehens schon wieder verschwindet. Sobald der *receiver* den vom *quarterback* geworfenen Ball gefangen hat, ist der schöne Spielzug einschließlich der komplexen Laufmanöver der anderen Spieler vergangen. Die gleichen Spieler befinden sich noch auf dem Spielfeld, und der *receiver* sprintet im nächsten Moment vielleicht schon in Richtung der gegnerischen *endzone*, aber das alles gehört schon nicht mehr zu dem Spielzug, bei dem der *quarterback*, trotz aller Anstrengungen der verteidigenden Mannschaft, den *receiver* freispielte. Keine einzelne Fotografie kann je die temporalisierte Realität eines Spielzugs erfassen. Und was immer dieses Bekenntnis auch wert sein mag, möchte ich hinzufügen, daß es – wenn überhaupt – nur wenige Dinge gibt, die mein Herz höher schlagen lassen, als ein schöner Spielzug im Ballsport. Je nachdem, ob meine eigene oder die gegnerische Mannschaft diesen Spielzug hervorgebracht hat, empfinde ich im Augenblick seines Verschwindens unendliches Glück oder unendliche Trauer. Wenn ich allerdings nach Stunden, Tagen oder Jahren zurückblicke, kann sich sogar die Erinnerung an einen Spielzug der gegnerischen Mannschaft in eine schöne Erinnerung verwandeln.

Die Regeln der verschiedenen Ballsportarten ermöglichen schöne Spielzüge unter einer potentiell unendlichen Vielfalt von Kombinationen und Möglichkeiten, die genauso unendlich als Variationen unterschiedlicher Stile und ästhetischer Vorlieben im Ballspielen analysiert und beschrieben werden können. Ich möchte hier nur auf einige der elementarsten Kombinationen und Möglichkeiten hinweisen. Sportarten, die ein Halten des Balls erlauben und dadurch der Mannschaft in Ballbesitz weitgehend vorhersehbare Spielzüge ermöglichen (wie Basketball, American Football und, mit Abstrichen, Rugby), neigen zur Entwicklung ausgefeilter Standardspielzüge, die zwischen den beiden Trainern wie strategische Schachwettkämpfe ausgetragen werden. Sportarten wie Fußball oder Eishockey hingegen, in denen eine geringere Kontrolle des Balls oder Pucks die Vorhersehbarkeit des Spielverlaufs erschwert, sind stärker auf die Intuition oder die Initiative einzelner Spieler angewiesen. Außerdem neigen Sportarten mit einem hohen Maß an Ballkontrolle dazu (zumindest scheint dies im historischen Prozeß der Ausdifferenzierung der Ballspiele der Fall gewesen zu sein), einen härteren Körpereinsatz der Abwehr zuzulassen, während für Sportarten mit geringerer Ballkontrolle der umgekehrte Fall gilt. Baseball ist dafür ein extremes Beispiel. Man sagt, daß kein Moment im Sport technisch so anspruchsvoll – und prekär – ist, wie mit einem Holzschläger einen kleinen Ball zu treffen, der sich mit einer Geschwindigkeit von über hundertfünfzig Stundenkilometern nähert. Dies erklärt, warum beim Baseball der (angreifende) Spieler in Schlagposition sich ganz auf seine Aufgabe konzentrieren darf, ohne von Spielern der gegnerischen Mannschaft gestört zu werden. Interessanterweise wird diese mögliche Gleichung zwischen dem Maß an Ballkontrolle und der Härte des zugelassenen Körpereinsatzes der Abwehr aber nicht konsequent durchgehalten – wir können sogar sagen, daß sie in einigen Ballsportarten geradezu umgekehrt wird und auf diese Weise spezifische ästhetische Effekte hervorbringt. Im Basketball etwa ist trotz eines hohen Maßes an Ballkontrolle den Abwehrspielern jeglicher Körperkontakt untersagt. Zusammen mit dem relativ begrenzten Raum eines Basketball-Felds erklärt dies die hohe Trefferzahl sowie den schnellen und außerordentlich komplexen Rhythmus des Spiels. Eishockey hingegen erlaubt den Abwehrspielern den vollen Körpereinsatz, obwohl es sehr schwierig ist, den Puck zu kontrollieren. Zweifellos ist genau dies der Grund für den ständigen Umschlag von Abwehr- und Angriffsspiel und die Chance zu überraschenden Spielzügen im Eishockey, für die der *fast break* emblematisch ist.

Gibt es Grenzen des Spiels in diesen Mannschaftssportarten? In praktischer Hinsicht lautet die Antwort nein, wenn es darum gehen soll, daß bestimmte Grenzen der menschlichen Physis sichtbar werden – wie das in den vergangenen Jahrzehnten in Sportarten wie Bodybuilding, Turnen, Eiskunstlauf, Kunstspringen und vor allem in zahlreichen Leichtathletikdisziplinen geschehen ist (die Hand-Augen-Koordination und die Schlagkraft im Baseball sind vielleicht zwei der ganz wenigen physischen Grenzen, die bei einer Ballsportart sichtbar werden). Dennoch können wir nicht ausschließen, daß Ballsportarten irgendwann an solche Grenzen stoßen. Aber zumindest aus der Zuschauerperspektive wird es immer möglich sein, sich vorzustellen, daß die Spieler einer Mannschaft noch virtuoser spielen, noch schneller schießen und noch höher springen könnten, als sie es im Augenblick tun. Die Frage ist deshalb, ob ein noch höheres Maß an physischer Leistung (und vielleicht auch an strategischer Komplexität), unabhängig davon, ob es die Grenzen menschlicher Leistungsfähigkeit sichtbar werden läßt, letztlich nicht ästhetisch kontraproduktiv ist, zumindest in einigen Ballspielen. Wenn ich im Gegensatz zur Mehrheit der Trainer und Experten mit meiner These richtig liege, daß die Fans nicht ausschließlich Punkte und Siege faszinieren, könnten dann einige Ballsportarten in den letzten Jahrzehnten eine Grenze der ästhetischen Optimierung überschritten haben – möglicherweise mit problematischen Folgen? Sollte dem so sein, dann wäre es nicht bloß das nostalgische Gefühl eines in die Jahre gekommenen Fans, von der Mitte des vergangenen Jahrhunderts als der goldenen Zeit der Ballsportarten zu schwärmen.

*

Beim Rückblick auf unsere Typologie der »Faszinationen des Sports« und auf ihre historische Artikulation kann ich mir durchaus ein eigenes Buch vorstellen, das sich eben mit der historischen Verteilung dieser Faszinationen als einem komplexen Symptom für das beschäftigte, was die Franzosen *histoire des mentalités* nennen. Wir werden uns nicht auf Überlegungen in dieser Richtung einlassen, weil diese Frage mit der Ästhetik des Sports wenig zu tun hat. Nur einige der auffälligsten Beobachtungen zu diesem Thema möchte ich erwähnen.

Angesichts der grundlegenden Diskontinuität in der Geschichte des Sports ist es zunächst einmal bemerkenswert, daß es zumindest eine Art sportlicher Ereignisse zu geben scheint, die von dieser Diskontinuität ausgenommen ist. Dies sind jene Sportarten, die auf der Faszination für die Verschmelzung des menschlichen Körpers mit einem anderen Körper oder einem technischen Gerät beruhen, um so das Potential seiner Leistung zu steigern. Wenn es auch keine genealogische Linie gibt, die von den Wagenrennen in Olympia und im Circus Maximus zu den Formel-1-Rennen von heute reicht, ist es durchaus sinnvoll zu sagen, daß diese Sportarten in ihren jeweiligen historischen Kontexten die gleiche Funktion ausgeübt haben. Zweitens (und diesmal innerhalb der Dimension der geschichtlichen Diskontinuität) lassen sich zumindest zwei auffällige Konvergenzen feststellen. Bodybuilding ist heute sehr beliebt – und war dies vermutlich zu keiner anderen Zeit, außer während der Jahrhunderte der griechischen Antike. Eine weitere historische Affinität betrifft die Faszination der Gelassenheit in der Konfrontation mit dem Tod, wie sie für die römischen Gladiatorenkämpfe galt – und in den zwanziger Jahren im Boxen und in verschiedenen anderen Ausdauersportarten erneut populär wurde. Die größte intellektuelle Herausforderung liegt aber im, historisch gesehen, so späten Auftreten von Mannschaftssportarten und Ballsportarten, die für viele von uns so zentral, so faszinierend und so existentiell bedeutsam geworden sind, daß wir uns eine Welt ohne sie nur schwer vorstellen können.

Daran schließt die Frage an, warum einige Sportarten große Zuschauermengen anziehen, wo und wann immer sie auftreten (antike Wagenrennen und Autorennen zum Beispiel, oder Boxkämpfe), während andere Sportarten nie diese Wirkung hatten. In diesem Zusammenhang ist es überraschend, daß eine Sportart mit einer so einfachen Struktur wie Laufwettbewerbe niemals eine große Zuschauerattraktivität entwickeln konnte. Vielleicht ist es aber auch gut, daß wir keine überzeugende Antwort auf diese Frage geben können. Denn hätten wir eine Antwort, könnte dies zu einer ›Rangliste‹ der einzelnen Sportarten führen, d. h. zu einer Unterscheidung zwischen einigen Sportarten mit plausiblen und anderen mit weniger plausiblen Gründen für ihre Faszination. Ich möchte statt dessen eine andere Perspektive vorschlagen: Ist es nicht gerade eine der lobenswerten Erscheinungen des Sports, daß er sehr verschiedene Formen der Zuschauerpartizipation ermöglicht? Er gibt uns die Möglichkeit, mit Tausenden Fans in den Hexenkessel eines Fußballstadions einzutauchen, aber er gibt uns ebenso die Möglichkeit, sagen wir bei einem Dressur-Reitwettbewerb, uns als einer der wenigen ausgewiesenen Kenner zu fühlen.

Mit einer ganz anderen Frage, die eine Unterscheidung zwischen ›gut‹ und ›schlecht‹ durchaus beinhaltet, überraschte mich Toshi Hayashi am Ende eines Workshops in Kyoto. Wie würde ein ›häßliches‹ Sportereignis aussehen? Wann würden wir sagen, daß ein Spielzug oder ein Spiel ›nicht schön‹ gewesen sei? Es gibt darauf eine einfache (und wenig interessante) Antwort. Ein Foul nennen wir oft einen ›unschönen Spielzug‹. Strenggenommen ist dies allerdings eine Bedeutungsverschiebung, weil ein Foulspiel, zumindest, wenn es vom Schiedsrichter gesehen und geahndet wird, das Spiel unterbricht und deshalb eigentlich nicht Teil des Spiels ist. Die interessantere Antwort auf Hayashis Frage ist, daß die Ästhetik des Sports keine negativen Begriffe zu kennen scheint. Wir können einige – übertriebene – Folgen des Bodybuildings als ›unschön‹ bezeichnen, und wir können den Ausdruck auch für einen mißlungenen Sprung im Eiskunstlauf oder für eine Bewegung im Turnen gebrauchen, die auf groteske Weise die eigentlich beabsichtigte Form verfehlen. Doch selbst in einem solchen Fall wäre der Ausdruck ›unschön‹ eher atypisch. Grundsätzlich können wir in den meisten Sportarten lediglich einen Mangel empfinden – einen Mangel an Dramatik beim Boxen, einen Mangel an Anmut in der Leichtathletik, einen Mangel an aufregenden Spielzügen im Ballsport. Im Hinblick auf den Mangel an Anmut besteht immer noch die Möglichkeit, ihn durch die herausragende Leistung eines Sportlers zu kompensieren oder, genauer gesagt, zu ›verklären‹. Emil Zatopek, der dominierende Langstreckenläufer der fünfziger Jahre, war berühmt für seinen wenig eleganten Laufstil. Jede Bewegung seines Körpers schien äußersten Schmerz auszudrücken. Doch dank seiner unvergleichlichen Endspurte und vor allem dank seiner großen Siege hat sich das Bild des gequält wirkenden Zatopek verklärt, und Leichtathletikfans erinnern sich voller Bewunderung an ihn.

Dies verstärkt nur den Eindruck, daß uns im Sport kaum je etwas Unschönes – aber oft die Langeweile oder der Mangel an Aktion und Aufregung enttäuscht. Besonders Fußballfans fürchten Spiele, die keine der beiden Mannschaften gewinnen müssen – wie etwa die berühmt-berüchtigte Begegnung zwischen Österreich und Deutschland bei der Weltmeisterschaft 1982 in Spanien. Allerdings kann das, was in der einen Sportart Langeweile ist, in einer anderen Sportart für höchste Spannung sorgen, da das Verhältnis von aktionsgeladenen Momenten und längeren Abschnitten, in denen etwas passieren könnte, ohne daß etwas passiert, in den verschiedenen Sportarten sehr unterschiedlich ist. Typische Ergebnisse sind in diesem Zusammenhang sehr aufschlußreich. Ein Eishockeyspiel, das 13:10 endet (wie es beim jährlich stattfindenden All-Star-Game in der National Hockey League nicht ungewöhnlich ist), macht normalerweise kein großes Vergnügen. Ein Endergebnis von 2:1 hingegen klingt auch nicht besonders gut, wohingegen es sehr wohl das Resultat eines hochunterhaltsamen Fußballspiels sein kann (besonders in der ersten italienischen Liga, in der gewöhnlich noch weniger Tore fallen). Baseballfans schließlich erinnern sich aufgrund der besonderen Regeln ihrer Sportart oft mit größter Bewunderung an Spiele mit sehr niedrigen Ergebnissen. Tatsächlich ist der glanzvollste Spielausgang im Baseball ein sogenannter *no hitter*, d.h. ein Spiel, in dem der *pitcher* keinen einzigen Schlag der gegnerischen Mannschaft zuläßt.

Die Frage nach negativen Eindrücken bei Sportereignissen hat die Dimension der Zeit ins Spiel gebracht. Während einige meiner analytischen Schlüsselbegriffe (wie beispielsweise das ›Vorführen attraktiver Körper‹ oder der Begriff ›Epiphanie‹) einen Zeitaspekt beinhalten, mag es überraschend erscheinen, daß ich bislang nicht ausdrücklich auf die Zeit eingegangen bin, um so mehr, als sie in unseren Alltagsgesprächen über Sport eine vorrangige Rolle spielt. Die Zeit bestimmt viele unterschiedliche Wettkämpfe, sportliche Rekorde werden meist nach der Zeit bemessen und in Zeitangaben ausgedrückt, und in den vergangenen Jahren hat die Nachspielzeit im Fußball eine quasihomerische Aura erworben, zumindest für entscheidende Spiele. Haben wir schlichtweg eine zentrale – womöglich sogar die zentralste – Dimension für das Erleben ästhetischer Schönheit im Sport übersehen? Natürlich werde ich so kurz vor Ende des Buches nicht mehr umschwenken, sondern aus verschiedenen Gründen argumentieren, daß die Bedeutung der Zeit im Sport meist überbewertet wird (zumindest tendenziell überbewertet wird, was selbstverständlich nicht heißt, daß Zeit im Sport jemals irrelevant sein könnte).

Wenn es, erstens, eine gute Entscheidung war, dem Begriff des sportlichen Ereignisses eine besondere Bedeutung zu geben, und wenn dieser Ereignisbegriff eine Betonung der Präsenzaspekte kultureller Phänomene impliziert, müssen wir konsequenterweise der Dimension des Raums mehr Aufmerksamkeit widmen, als dies sonst in der westlichen Philosophie geschieht. Ich erinnere damit nur noch einmal an eine Entscheidung (und an deren Folgen), die ich ganz zu Anfang des Buches getroffen habe. Ein zweiter, sehr viel interessanterer Untersuchungsaspekt im Zusammenhang mit der Zeit, ein Aspekt allerdings, der stärker zum Erleben des Athleten als zum Erleben des Zuschauers gehört, ist die Tatsache, daß in den entscheidenden Momenten eines Wettbewerbs der Fluß der Zeit wie angehalten – oder zumindest doch extrem verzögert – erscheint. Genau dies ist die Bedeutung der Zeit-Metapher ›in der Zone sein‹, die Sportler für eine spezifische Form des Zeiterlebens verwenden. Die folgende Beschreibung stammt von einem College-Football-Spieler:

> ›In der Zone zu sein‹ bedeutet für einen Spieler, daß er sich in einem Zustand äußerster Wachheit und Spannung befindet. Dies erklärt die scheinbare Mühelosigkeit, mit der ich mich in diesem Zustand auf die Endzone zubewege. Es ist nicht so, daß ich auf dem Feld weniger gefordert bin als meine Mitspieler. Bloß bewegt sich in diesem Augenblick der Hyperempfindlichkeit alles viel langsamer für mich als für die übrigen Spieler. Meine Sinne sind sehr viel geschärfter für alles, was um mich herum passiert, und dadurch kann ich schneller reagieren als meine Mitspieler, was mich gewandter erscheinen läßt.

Bemerkenswert ist diese Aussage von JR Lemon vor allem deshalb, weil er zwar zeitbezogene Begriffe verwendet, sein Zeiterleben sich aber auf dramatische Weise von dem unterscheidet, was wir im Sport normalerweise unter Zeit verstehen. Wenn er ›in der Zone‹ ist, nimmt er seine eigene Schnelligkeit nicht mehr wahr. Aller Druck fällt von ihm ab. Bewegungen, die ihm sehr schwierig erschienen, gelingen ›in der Zone‹ mühelos, fließend und natürlich.

Ich möchte diese (mir selbst natürlich ganz und gar unbekannte) Dimension des Erlebens mit einem dritten Zeitaspekt im Sport verknüpfen. Wenn ein Spieler ›in der Zone‹ bessere Leistungen erbringt, dann deshalb, weil er ein besseres Timing besitzt. Sobald ein *running back* wie JR Lemon ›in der Zone‹ ist und das Spiel wie in Zeitlupe erlebt, wird er sämtliche Lücken in der gegnerischen Mannschaft entdecken und feststellen, daß er ausreichend Zeit hat, diese Lücken zu nutzen. Wir als Zuschauer sagen dann, daß der *running back* das richtige Timing hatte. Als eines der zentralen zeitlichen Phänomene im Sport bezieht sich Timing auf Fälle, in denen eine perfekte Verschmelzung von Raum und Zeit stattfindet. Timing ist die intuitive Fähigkeit, seinen Körper (oder auch eine Ergänzung des Körpers) genau zum richtigen Zeitpunkt an einen bestimmten Ort zu bringen. Wenn das Timing im Sport aber entscheidend für den Genuß des Zuschauers ist, heißt dies in den meisten Fällen auch, daß Gewalt – oder, präziser formuliert, das Potential von Gewalt – eine zentrale Bedingung der Ästhetik des Sports ist.

Timing und Gewalt sind oft untrennbar miteinander verknüpft, weil Timing – zumindest in Ballsportarten – voraussetzt, daß es eine einzige ganz bestimmte Stelle auf dem Platz gibt, die ein Spieler zu einem ganz bestimmten Augenblick des Spiels mit seinem Körper besetzen muß. Dies kann unter zwei Voraussetzungen geschehen: entweder die fragliche Stelle ist frei, oder sie wird von einem anderen Spieler besetzt (›gedeckt‹, wie der Fachausdruck lautet). Folglich geht es beim Timing immer darum, Gewalt zu vermeiden oder Gewalt zu produzieren. In Sportarten mit hohem Körpereinsatz wie Rugby oder Football (und hinter dem Rücken des Schiedsrichters natürlich auch im Fußball und Basketball) wird richtiges Timing nicht immer, aber häufig begleitet sein von Gewalt – und zwar einer ganz öffentlich gezeigten Gewalt. Ein Spieler will nur deshalb zu einem bestimmten Moment an einer bestimmten Stelle auf dem Feld sein, um einen Spieler der gegnerischen Mannschaft ›anzugreifen‹. Im günstigsten Fall wird dies zur jeweiligen Form von Gewalt führen, die die

Zuschauer der jeweiligen Sportart als ›saubere Abwehr‹ akzeptieren. ›Saubere Abwehr‹, *clear hit*, heißt beim Football, der Körper eines Spielers wirkt auf den Körper eines anderen Spielers ein, an genau der richtigen Stelle, dem richtigen Ort und mit einem unmittelbaren Ergebnis, das oft in der Umkehr des Spielgeschehens von Abwehr auf Angriff besteht. Das Gegenteil einer ›sauberen Abwehr‹, eine der ganz wenigen Aktionen auf dem Spielfeld, die Fans als ›häßlich‹ empfinden, sind die Szenen, wo ein Spieler die Möglichkeit einer sauberen Abwehr verpaßt und anschließend versucht, seinen Gegenspieler durch Festhalten am Trikot aufzuhalten.

Am richtigen Ort, im richtigen Augenblick und mit klar sichtbarem Erfolg ausgeführt, besitzt auch die saubere Abwehr die Qualität einer plötzlich entstehenden Form. Noch mitten im Spiel wird sie als eigenständige Aktion wahrgenommen. Unter dieser Perspektive fällt es schwer, einer sauberen Abwehr Schönheit abzusprechen – selbst denjenigen, die sich aus moralischen Gründen dagegen sträuben, den Begriff ›Schönheit‹ in diesem Zusammenhang zu gebrauchen. Allerdings habe ich auch nie behauptet, daß die Freude am Sport – oder die Freude an der Schönheit als solcher – zwangsläufig mit moralischer Erbauung zu tun hat.

Zuschauer

Aufgrund unserer Beschäftigung mit Pablo Morales' wunderbarer Beschreibung der Faszination des Sports als »Versunkensein in fokussierter Intensität« haben wir unterstellt, daß zwischen dem Erleben des Zuschauers und dem des Sportlers kein fundamentaler Unterschied besteht, obwohl natürlich die Sportler für das Geschehen sorgen, während die Zuschauer darauf warten, daß etwas geschieht. Wer nun allerdings empirische Belege für die Behauptung erwartet, das Erleben der Sportler und der Zuschauer sei grundsätzlich gleich, den muß ich enttäuschen. Dies ist ein Buch zum »Lob des Sports« – wie Zuschauer ihn wahrnehmen und sich daran erfreuen. Deshalb haben wir das breit gefächerte Feld der Sportarten in sechs verschiedene Faszinationstypen gegliedert und versucht zu zeigen, worin ihre jeweilige Attraktivität für den Zuschauer liegt. Es besteht allerdings eine interessante Asymmetrie zwischen den sechs Faszinationstypen und zwei unterschiedlichen Begriffen zur Kennzeichnung der verschiedenen Einstellungen, mit denen Zuschauer ein Sportereignis verfolgen können. Prinzipiell lassen sich diese beiden Begriffe auf jede Art sportlicher Faszination anwenden, wenn auch in unterschiedlichen Intensitätsgraden.

Kennzeichnen möchte ich die beiden elementaren Einstellungen des Zuschauers mit den Begriffen ›analytisch‹ und ›teilnehmend‹. Stellen wir uns für eine erste schematische Darstellung der analytischen Haltung ein Eishockeyspiel vor. Alle Spieler werden ständig ausgetauscht mit Ausnahme der beiden Torhüter und sind kaum länger als je zwei oder drei Minuten auf dem Eis. Sofern kein Spieler eine Zeitstrafe absitzt, befinden sich in jedem Moment eines Spiels zwölf Spieler auf dem Eis sowie zweimal zehn bis fünfzehn Spieler beider Mannschaften auf der Bank. Während sie auf der Bank sitzen, werden die Spieler versuchen, soviel Informationen wie möglich über die Strategie, die Stärken und die Schwächen des Gegners herauszufinden. Die Art ihrer Teilnahme ist deshalb vorwiegend analytisch, doch durch die ständige Rotation der Spieler scheint die Trennung zwischen

Spielern, die zuschauen, und Spielern, die dem Puck nachjagen, beinahe fließend. Denken wir nun aber an die teilnehmende Haltung der Zuschauer, so können wir sie uns immer nur als ›Menschenmenge‹ vorstellen. Zuschauermengen sind laut und sprachlos, hellwach und manchmal entrückt vor Begeisterung. Vor allem aber hat die Menge im Stadion kein analytisches Interesse. Als Zuschauer aus Neigung und geradezu physischer Notwendigkeit bin ich gewiß keine Ausnahme, wenn ich gestehe, daß es keine Sportart gibt, wie bescheiden ihre körperlichen Anforderungen auch sein mögen, die ich aktiv betreiben könnte. Dieses Unvermögen scheint eine unüberbrückbare Kluft zu den Sportlern zu eröffnen. Anders und allgemeiner formuliert: Wir glauben zunächst, daß die Zuschauer von den Sportlern getrennt sind. Die Gitter, die bis vor kurzem viele Fußballfelder in Europa und in England umgaben, waren das deutlichste Zeichen für den Glauben an diese Trennung.

Vielleicht können wir das Verhalten von Zuschauern im Stadion prinzipiell mit dem Einsatz vergleichen, wenn jemand beim Pferderennen auf ein Pferd setzt oder auf das Wetter am nächsten Tag – oder eben auf ein Fußballspiel. Sobald er seine Wette eingegangen ist, geht es für ihn um etwas. Aber er weiß auch, daß er keinen Einfluß auf den Ausgang des betreffenden Ereignisses hat und daß er folglich nur auf ein Ergebnis hoffen kann, das seinen Einsatz vermehrt. Der einzige Unterschied zwischen einer Wette und der Teilnahme des Zuschauers an einem Sportereignis liegt darin, daß die Zuschauer kein Geld, sondern Emotionen einsetzen. Ihr Risiko besteht darin, vom Ausgang des Wettkampfs enttäuscht zu werden – statt Geld zu verlieren. Und während diejenigen, die Geld auf das Eintreten einer bestimmten Situation setzen, oft gar nicht daran interessiert sind, mitzuverfolgen, ob diese Situation auch wirklich eintrifft (vielleicht verbergen einige von ihnen auch bloß ihre Emotionen hinter dem Einsatz von Geld), sind die Zuschauer durch den Einsatz ihrer Emotionen buchstäblich auf ihre Plätze im Stadion oder an den Sessel vor dem Fernseher gefesselt. Natürlich wollen die Zuschauer im Stadion ihren persönlichen Favoriten siegen sehen. Aber es trifft ebenso zu, daß sie den Einsatz ihrer Gefühle nicht für verloren halten, wenn ihr Star in einem guten und packenden Wettkampf unterliegt.

Grundsätzlich kann jeder sportliche Wettkampf Zuschauer mit einem eher analytischen Blick und Zuschauer, die ihren Stolz und ihre Hoffnung auf die Sportler setzen, in gleicher Weise faszinieren. Aber wir haben bereits gesehen, daß einzelne Sportarten mehr oder weniger starke Affinitäten zu der einen oder anderen Form des Zuschauens besitzen. Einige Beispiele: Normalerweise wird man unter den Zuschauern eines Schwimmwettkampfs nur wenige Zuschauer finden, die nicht zu irgendeiner Zeit selbst einmal aktive Schwimmer oder Schwimmtrainer waren. Nicht jeder Fan der Formel-1-Rennen kann selbst Rennfahrer gewesen sein, doch bin ich mir ziemlich sicher, daß die meisten der männlichen (und zunehmend auch weiblichen) Formel-1-Fans, um es mit einem sehr deutschen Wort auszudrücken, stolz auf ihren ›sportlichen Fahrstil‹ sind. Andererseits ist es schwierig – manchmal sogar deprimierend –, sich ein Spiel im College-Basketball vorzustellen, dessen Zuschauer ein ausschließlich analytisches Interesse zeigten. Zudem haben unterschiedliche Sportarten in unterschiedlichen kulturellen Kontexten ihre jeweils eigenen Formen der Geselligkeit hervorgebracht. Allein die Zuschauer eines *Cricket Test-Matches* zwischen, sagen wir, den West Indies und Pakistan, die in einer bukolischen Szenerie mehrere Tage auf dem Rasen sitzen, können einen noch entspannteren Eindruck vermitteln als jene glücklichen amerikanischen Familien, welche ihre Aufmerksamkeit zu gleichen Teilen dem Baseball-Spiel und der Qualität der Hot dogs widmen. Baseball-Zuschauer in Japan wiederum sind genauso fanatisch und laut wie englische Fußballfans, die in einem mächtigen Chor Schlachtgesänge wie »You'll Never Walk Alone« zur Unterstützung ihrer Helden anstimmen. Und während man sich – in vergleichsweise harmlosem Ton – Sticheleien der gegnerischen Fans gefallen lassen muß, wenn man in einem Baseball-Stadion einen Platz im falschen Block hat, kann es wirklich gefährlich sein, wenn man bei einem Spiel der englischen Premier League in einem Pulk von Liverpool-Fans die Mannschaft von Manchester United anfeuert. Wer sich Tickets für eine Boxgala in einem Nobelhotel in Las Vegas leisten kann, mag nur in Anzug und Krawatte eingelassen werden. Doch gibt es andere Boxereignisse, bei denen man sich mit Krawatte und Jackett deplaziert vorkäme. Ich behaupte aber, daß es ungeachtet der vielfältigen Unterschiede im Zuschauerverhalten immer die grundlegende Alternative gibt, das Ereignis mit analytischem Interesse oder mit einem hohen Maß an emotionaler Beteiligung zu verfolgen.

Obwohl Philosophen und Dichter den Sportzuschauern nie besondere Aufmerksamkeit geschenkt haben, ist im Laufe der Jahrzehnte doch ein reiches Begriffsrepertoire zur Beschreibung der beiden alternativen Zuschauereinstellungen entstanden. Dieses Material kommt nicht immer primär vom Sport. Ich verweise nur auf Bertolt Brechts episches Theater und sein Ideal des distanzierten Betrachters, der während der Aufführung raucht (sich zwischendurch auch mit seinem Nebenmann unterhält), das Gesehene analysiert und am Ende politische Schlüsse zieht. Wir können den Wert dieser Einstellung aber nur vor dem Hintergrund der gegenteiligen, von Brecht abgelehnten Zuschauerhaltung verstehen, die er mit dem Begriff ›Katharsis‹ und anderen – möglicherweise mißverstandenen – Konzepten der aristotelischen Dramentheorie verband. Dieser andere Typ von Zuschauer verkörperte für Brecht, was ihm als schwerste Sünde gegen intellektuelle Wachsamkeit galt, den Wunsch, sich in die Schauspieler auf der Bühne einzufühlen. Noch berühmter ist Friedrich Nietzsches Unterscheidung zwischen der apollinischen und der dionysischen Haltung des Zuschauers. Der apollinische Zuschauer steht für einen Betrachter, der die Schönheit individueller Formen aus Distanz beobachtet und genießt. Er ist nicht zwangsläufig ›analytisch‹ im Sinne von Brechts idealem Zuschauer oder von Spielern, die ihren Teamgefährten von der Bank oder von der Seitenlinie aus zusehen, doch steht der apollinische Zuschauer dem Begriff der ›Analyse‹ näher als dem der ›Teilnahme‹. Vor allem wird aus dem Vergleich mit Nietzsches Unterscheidung deutlich, daß unsere vorgeschlagenen Begriffe des ›analytischen‹ und ›teilnehmenden‹ Zuschauers keine einander ausschließenden Formen sind, sondern vielmehr die beiden äußersten Pole eines breiten Spektrums möglicher Haltungen darstellen. In der Mitte dieses Spektrums können wir uns eine unparteiische Freude an Bewegungen und Formen vorstellen, die weniger streng als die ›analytische‹ Beobachtung und weiter entfernt von den Akteuren auf dem Feld ist als ein ›mitfieberndes‹ Publikum. Der ›dionysische‹ Zuschauer gibt im Gegensatz dazu seine Individualität und Distanz bewußt auf, um mit der Masse der Zuschauer und der Energie, die von dem verfolgten Geschehen ausgeht, zu verschmelzen. Unter den großen griechischen Dramatikern verurteilte Nietzsche den Euripides scharf, weil dessen Tragödien in seinen Augen kein dionysisches Gemeinschaftserlebnis ermöglichten. ›Verzückung‹ und ›Rausch‹ waren demgegenüber die Begriffe, mit denen Nietzsche seine eigene Vorstellung der dionysischen Menge beschrieb, und er verglich die Intensität dieses gemeinschaftlichen Erlebens mit dem Eintauchen in einen tiefen, glückseligen Schlaf. Heute hingegen scheinen wir – zum Teil wegen des Alptraums des Faschismus, der uns immer noch verfolgt, aber auch wegen der modernen Vergötterung der Individualität – vergessen zu haben, daß Teil einer Menge zu sein tatsächlich ein grenzenloses Glücksgefühl auslösen kann.

Wenn wir alle diese Unterschiede in der Art des Zuschauens unter der Perspektive von ›besser‹ oder ›schlechter‹, ›angemessen‹ oder ›unangemessen‹ und von mehr oder weniger ›intensiv‹ behandelten, würden wir in die Falle der ›kritischen‹ Betrachtung des Sports tappen. Tatsächlich sind viele Formen der Wahrnehmung im Sport so sehr voneinander verschieden, daß ein qualitativer Vergleich unmöglich ist. Die Intensität, die aus der Betrachtung eines Tennis-Matchs mit analytischem Blick entsteht, läßt sich nicht mit dem angenehmen Schauder vergleichen, der die Fans einer Fußballmannschaft Minuten vor dem Gewinn einer Meisterschaft überkommt. Abgesehen davon hat sich das Dionysische in den letzten Jahrzehnten als das attraktivere Modell gegenüber dem Apollinischen durchgesetzt. Ich finde das bemerkenswert, weil die dionysische Zuschauerhaltung in einem modernen kulturellen Umfeld die weniger zu erwartende Zuschauerhaltung ist. Direkter gesagt: Dionysische Verzückung ist keine Haltung zur Welt, die Eltern und Lehrer uns beigebracht haben. Ihnen war mehr daran gelegen, uns zu ›kritischen‹ Individuen zu erziehen. Konnte man je kritisiert werden, wenn man individuellen Erscheinungsformen individuelle Aufmerksamkeit widmete? Und liegt nicht gerade darin das Patentrezept für Zustimmung und Erfolg in jedem nur denkbaren Kontext? Hingegen ist Teil einer Menge zu sein und die Kontrolle über sein Verhalten zu verlieren etwas, vor dem man uns von Kindesbeinen an gewarnt hat – was zu den Gründen gehört, die es so erstrebenswert macht.

Wir können also sagen, daß das Aufgehen in der Zuschauermenge bei Sportereignissen Anlässe geboten hat, die ein Eintauchen in die Sphäre der Präsenz ermöglichten. Denken Sie noch einmal an die Arenen für die römischen Gladiatorenkämpfe und Wagenrennen seit der Mitte des ersten Jahrhunderts oder an die Boxkämpfe in London während des 18. Jahrhunderts, zu denen bis zu 30 000 Zuschauer kamen – und das in einem kulturellen Umfeld, das ansonsten keine sportliche Begeisterung kannte. Diese Zuschauermengen waren die Vorläufer der Massen, die seit dem späten 19. Jahrhundert in einer bis heute ständig wachsenden Zahl die riesigen Sportarenen füllen und die Kulisse für Sportveranstaltungen (zumindest im Mannschaftssport) bilden – was so alltäglich geworden ist, daß wir vergessen haben, wie sehr es, historisch gesehen, die Ausnahme ist. Was den entscheidenden Unterschied bei diesen Zuschauermassen ausmacht, ist der Lärm, das ›Dröhnen‹, das mehreren zehntausend Kehlen gleichzeitig entsteigt und nicht nur die eigene Mannschaft beflügelt. Der Lärm wird zu einem physischen Punkt der Selbstreferenz, in dem die Masse der Zuschauer zu einem einzigen Körper verschmilzt. In den vergangenen Jahrzehnten war zu beobachten, wie die Zuschauer sich zunehmend als sichtbare Einheit präsentierten (und zwar vor allem für sich selbst), da eine immer größere Zahl von Fans die Trikots ihrer Mannschaften tragen und sogar ihre Gesichter in deren Farben bemalen. Es gibt einen typischen Moment (meinen Lieblingsmoment) im College-Football, wenn vor einem entscheidenden Spielzug die Spieler beider Mannschaften die Zuschauer mit Armbewegungen dazu auffordern, sie lautstark zu unterstützen. Eine Standarderklärung für diese Geste – zumindest im American Football – lautet, daß der Lärm der Zuschauer jede verbale Kommunikation unter den Spielern der gegnerischen Mannschaft verhindern soll. Ich glaube allerdings, daß hier noch etwas anderes – etwas ›Archaischeres‹, wenn man so will – geschieht. Solange der Lärm der Zuschauer die verbale Kommunikation des Gegners unterbinden soll, liegt sein Zweck auf der Ebene der Interaktion. Viel mehr aber streben die Spieler und Fans nach einem Erlebnis des Kollektiven, d. h. nach einer Form des Zusammenseins, die gerade nicht vorrangig auf Interaktion beruht.

Ob man bereit ist, an die Möglichkeit eines solchen Erlebnisses zu glauben oder auch nicht, ist noch einmal eine andere Frage. Die Zuschauer jedenfalls sehnen sich nach einem Zustand, in dem ihre physische Energie eins wird mit der Energie der Spieler – und dadurch wächst. Dabei handelt es sich um ein Erleben, das, weit entfernt von einer rein geistigen Vereinigung, eine physische Realität begründen kann. Jedesmal, wenn wir diese kollektive Energie verspüren, wird sie einen bestimmten Raum einnehmen und besetzen, da sie an Körper gebunden ist. Unter psychologischer Perspektive ist dieses Gemeinschaftserleben unabhängig von Sieg oder Niederlage. Natürlich wollen die Zuschauer ihrer Mannschaft zum Sieg verhelfen. Aber die echten Fans bleiben selbst bei einer vernichtenden Niederlage im Stadion, vereint mit ihrer Mannschaft. Wir Zuschauer wissen auch, daß der Moment, wenn unsere Energie auf die Energie der Spieler übergeht, mit wacher Intensität erwartet wurde, obwohl es für sein Eintreten keine Gewißheit gibt. Wenn er jedoch eintritt, dann ist die Trennung zwischen Zuschauern und Spielern bereits aufgehoben. Das Sammeln von Trikots, Schweißbändern oder Handschuhen, welche die Sportler in einem Match getragen haben, ist nur eines von vielen Ritualen, die auf dem Wunsch nach physischer Gemeinschaft beruhen.

In den ersten Jahrzehnten des 20. Jahrhunderts wurden viele der damals neu gebauten Stadien auch für Parteiversammlungen und andere sorgfältig choreographierte ›Massenspektakel‹ genutzt. Es gibt dokumentarisch belegte und philosophisch begründete Zweifel, ob die Teilnehmer solcher Massenveranstaltungen jemals die ekstatische Begeisterung erlebten, welche bei Sportveranstaltungen die Massen anzieht. Ich rede hier nicht von jenen Menschenmassen, die – manchmal ganz spontan – in Momenten sich zuspitzender politischer Spannungen zusammenkamen. Solche Massen haben oft unkontrollierbare Energie und Gewalt freigesetzt, wie klassische Beispiele aus der politischen Geschichte zeigen, etwa der Sturm auf die Bastille am 14. Juli 1789. Mein negativer Referenzpunkt in diesem Zusammenhang sind die straff organisierten Jubelmassen bei politischen Kundgebungen oder Paraden und Gedenktagen wie dem 1. Mai oder dem 4. Juli. Hier findet sich in der Regel nur ein sehr geringes Maß an Energie, weil solche Anlässe eine ideologisch begründete Verbindung der Teilnehmer voraussetzen und dadurch schon ein spontanes Kollektiverlebnis ausgeschlossen wird. Es gibt dann nämlich keine trennende Kluft, die es erst zu überbrücken gilt und die deshalb ein Gemeinschaftserleben auslösen könnte. Die stramm geführten Massen einer Parteikundgebung sind meist gefügig, während vor allem das Verhalten von Fußballfans sich oft als unkalkulierbar, gewalttätig und gefährlich erwiesen hat. Seit der Fußballweltmeisterschaft 1998 in Frankreich wissen wir durch empirische Untersuchungen, daß die traditionellen psycho-soziologischen Erklärungen für derartige Ausschreitungen in der Masse nicht zutreffen. Die sogenannten ›Hooligans‹, die sowohl ihr eigenes als auch das Leben derer gefährden, auf die sie in blinder Wut einprügeln, sind nicht, zumindest nicht mehrheitlich, zurückgesetzte Proletarier, die aufgestaute Frustrationen ablassen. Noch muß es sich um Fans der unterlegenen Mannschaft handeln. Vielmehr sind sie ein Kollektiv von in Taumel versetzten Körpern, verbunden und berauscht durch ein Gemeinschaftserlebnis. Ein Großteil derer, die sich an gewalttätigen Ausschreitungen beteiligen, stammt aus gutsituierten und gebildeten sozialen Schichten.

Aber ist dies nicht eine längst überholte und hoffnungslos romantische Beschreibung der Zuschauer beim Sport? Besteht die aktuelle Realität – und die damit verbundene intellektuelle Herausforderung – nicht in den Millionen (und beim Finale einer Fußballweltmeisterschaft sogar Milliarden) von Fans, die Mannschaftssport im Fernsehen verfolgen? Ist es nicht bezeichnend, daß ausgerechnet in Brasilien das Verb ›assistir‹, das die physische Teilnahme an einem Ereignis bezeichnet, zugleich auch das Verfolgen von Sportereignissen im Fernsehen meint? Und ist es deshalb nicht unumgänglich, die alte begriffliche Unterscheidung zwischen Sport und seiner medialen Verbreitung aufzugeben und durch eine neue Vorstellung zu ersetzen, in der beide ehemals getrennten Seiten innerhalb eines komplexen ›Medien-Systems‹ zusammengedacht werden? Ich ahne schon solche Einwände, vor allem aus Deutschland, dem Gelobten Land der Medien-Forschung (manchmal auch ›Medien-Philosophie‹ genannt). Gewiß können die Medien-Spezialisten eine ganze Reihe wichtiger Aspekte benennen, denen ich mich vorbehaltlos anschließe. Zunächst einmal ist es zweifellos richtig, daß die ökonomische Existenzfähigkeit des professionellen Sports (und wegen der finanziellen Abhängigkeit vom Profisport auch die Lebensfähigkeit vieler Amateursportarten) in unserer Zeit von Übertragungen in Fernsehen und Rundfunk abhängt. Ich erspare dem Leser hier weitere zutreffende, aber doch ermüdende Einzelheiten. Richtig ist auch, daß die aktuelle Medientechnologie und die daraus entstehenden Sehgewohnheiten neue Gegenstände und Genres der Sportbetrachtung hervorgebracht haben. DVDs beispielsweise, die eine bloße Aneinanderreihung von Highlights zeigen, sind so erfolgreich, daß sie mittlerweile sogar Auswirkungen auf die Spielweise in einigen Mannschaftssportarten haben sollen. Aber wie naiv und banal es auch erscheinen mag – ich kann nur immer wieder betonen, daß das, was vor allem auf ESPN gezeigt wird, nach wie vor Spiele in einem Stadion sind. Selbst eine DVD mit den Zusammenschnitten der spektakulärsten *slam dunks* wird, meine ich, wenig reizvoll sein, solange der Käufer und Betrachter die endlose Folge von *slam dunks* nicht mit Bildern und Ereignissen aus den tatsächlichen Spielen ergänzen kann.

Die eigentliche Frage zur Beziehung zwischen Sport und den modernen Medien ist, wie letztere die Sehgewohnheiten der Zuschauer verändert haben – und die Antwort ist alles andere als überraschend. Wie nicht anders zu erwarten, haben Radio und Fernsehen eine Verschiebung hin zu einer mehr analytischen Einstellung bei Zuhörern und Zuschauern geführt. Der Hauptgrund für diese Verschiebung sind die Sprecherkommentare, die ein Spiel mit einem ganzen Raster von Begriffen überziehen und interpretieren. Dieses Raster wächst unweigerlich zu einer Sinnschicht an, die sich zwischen die Zuhörer und Zuschauer und die Präsenz der Spieler schiebt. Mehr noch als die Sprecherkommentare fördern Wiederholungen und Zeitlupeneinstellungen analytische Wahrnehmungsweisen. So vermittelt eine Fernsehübertragung vielen Fans die Illusion, sie befänden sich in der Position eines Trainers, der aufgrund analytischer Beobachtungen laufend neue Strategien entwickelt. Dabei hebt jede Form von Übertragung natürlich die physische Co-Präsenz von Zuschauern und Spielern auf. Ähnlich wie die Trainer sind auch die Zuschauer vor den Fernsehschirmen allein, während sie das Spiel verfolgen, selbst wenn sie mit der ganzen Familie oder mit Freunden vor dem Gerät sitzen und sich alle Mühe geben, Stadionatmosphäre im Wohnzimmer entstehen zu lassen. Mit der Ausnahme einiger weniger ›einzigartiger‹ Momente – vor allem, wenn ihre Lieblingsmannschaften oder Stars eine Weltmeisterschaft gewinnen oder einen Weltrekord aufstellen – bleibt den einzelnen Zuschauern vor dem Fernseher das Gefühl versagt, zu einem kleinen Publikum zusammenzuwachsen. Darüber hinaus kommen die Spieler auf dem Feld oder die Athleten im Stadion ihren Körpern nicht näher oder entfernen sich von ihnen, wie dies bei Epiphanien der Fall ist.

Dennoch sollte ich mich nicht von meiner Vorliebe für das Stadionerlebnis verleiten lassen. Sportereignisse im Fernsehen oder im Stadion zu sehen sind lediglich zwei überraschend unterschiedliche, aber gleichberechtigte Formen der Freizeitgestaltung. Tatsächlich ist der Unterschied so groß, daß mittlerweile alle Befürchtungen ausgeräumt sind, die Profivereine und Medienmanager jahrzehntelang quälten. Auf lange Sicht scheint sich die Übertragung von Sportveranstaltungen im Radio oder Fernsehen nicht negativ auf die Zahl der Zuschauer im Stadion auszuwirken. Ganz im Gegenteil, ein Sportereignis am Fernseher (und unter analytischer Perspektive) zu verfolgen kann das Interesse von Zuschauern ohne ausgeprägte Faszination für den Sport wecken, so wie umgekehrt ein gelegentlicher Besuch im Stadion den Wunsch verstärken kann, die Spiele einer Mannschaft oder eine bestimmte Sportart regelmäßig auf dem Bildschirm zu verfolgen. Davon abgesehen ist es zweifellos richtig, daß man als Fernsehzuschauer ›mehr‹ sieht und das Geschehen ›besser‹ versteht.

Doch ungeachtet aller rationalen und vermutlich unwiderlegbaren Argumente ist meine persönliche Begeisterung für Stadien und Hallen so groß, daß sie sogar mitten am Tag und zu Zeiten, in denen die Gebäude leer sind, andauert. So peinlich es vielleicht klingt, aber ich muß gestehen, daß mein Herz zweimal täglich schneller schlägt, wenn ich am großen und auf sympathische Weise dekadenten Stanford Stadion vorbeikomme. Irgendwie habe ich das eigentümliche Bauwerk lieben gelernt, das sich irgendwo zwischen einem offenen Stadion nach antikem griechischem Vorbild und einer geschlossenen Arena bewegt und dadurch den Zuschauern leider nie das Gefühl einer kompakten Masse ermöglicht. Wenn ich nach Spanien reise, freue ich mich in Gedanken immer schon, das Estadio Santiago Bernabeu am Ende von Madrids Prachtstraße La Castanella zu sehen, in dem die stolzen Mannschaften von Real Madrid den internationalen Fußball seit fast einem halben Jahrhundert dominieren. Ich erinnere mich an Hammersmith Bridge, das seltsam asymmetrische Stadion von Chelsea London, wo ich vor mehr als dreißig Jahren erlebte, wie Peter Osgood, Chelseas gefeierter Mittelstürmer jener Jahre, aus 35 Metern Entfernung ein traumhaftes Tor erzielte, und wo heute ein russischer Milliardär ein Experiment leitet, das die Frage beantworten wird, ob sich mit unbegrenzten finanziellen Mitteln sportliche Größe produzieren läßt. Ich bin jedesmal niedergeschlagen, wenn ich in der Zeitung von neuen Plänen lese, »das Haus, das Babe Ruth erbaute«, also das Stadion der New York Yankees, von der Bronx an einen anderen Ort zu verlegen. Um so mehr freute mich die Nachricht, daß die Boston Red Sox sich gegen den Verkauf von Fenway Park entschieden haben, obwohl die unvorteilhafte Mauer, die bei den Fans nur

›Green Monster‹ heißt, die Zahl der Sitzplätze immer auf einem wirtschaftlich bedenklichen Mindestmaß halten wird. Doch selbst die lärmenden Zuschauer in Fenway Park können es nicht mit den Fans aufnehmen, die im Koshien Stadion zusammenkommen, Asiens ältestem Stadion, das 1924 entlang der Hanshin-Bahnlinie gebaut wurde, die Osaka mit Kobe verbindet. Im Koshien Stadion zelebrieren die Fans der Hanshin Tigers, einer Mannschaft, deren Statistik noch viel niederschmetternder ist als die der Boston Red Sox, ekstatische Treuefeste über neun *Innings*, welche jedesmal die traurigen Erinnerungen an die vorangegangene Niederlage der Tigers überdecken und vergessen machen. Unvergessen ist auch jener herrliche Spätnachmittag, den ich ganz allein am offenen Ende der Mutter aller Stadien, in Olympia, verbrachte, an genau der Stelle, wo vor zweitausend Jahren die Sportler ihre Rennen begannen und beendeten. Unvergessen ist es, daß mir ein Stadionwärter erlaubte, eine ganze Stunde allein in La Bonbonera zu sitzen, dem Stadion von Boca Juniors im Hafen von Buenos Aires, auf dessen Stehplätzen die Fans gedrängt sind wie die Pralinen in einer ›Pralinenschachtel‹. Vor allem aber möchte ich jedes Jahr Maracanã besuchen, die Kultstätte des brasilianischen Fußballs, heute fast eine Ruine, aber einst der Ort, wo 100000 der ursprünglich 200000 Zuschauer trauernd im Stadion verharrten, nachdem die brasilianische Nationalmannschaft im Weltmeisterschaftsfinale 1950 gegen Uruguay verloren hatte, und wo nur ein Jahrzehnt später Pelé, der König Brasiliens und aller Fußballspieler, einige seiner spektakulärsten Tore erzielte.

Wie kann es aber sein, daß leere Stadien eine solche Faszination auf mich ausüben, wo sie doch offensichtlich nichts anderes als den Raum für ein gemeinsames Zuschauererlebnis bereitstellen, einen Raum, der ohne die bewegende Präsenz eines Sportereignisses buchstäblich leer bleibt? So paradox diese Faszination anmutet, ein noch viel augenfälligeres Paradox mag darauf eine Antwort geben (wobei meine Faszination, nebenbei gesagt, eine solche Antwort gar nicht nötig hat). Unter rein wirtschaftlichen Gesichtspunkten ist es paradox, daß viele Stadien ausschließlich für Veranstaltungen genutzt werden, die einmal in der Woche stattfinden, höchstens ein paar Stunden dauern und einem Saisonplan unterliegen, der nicht das volle Kalenderjahr ausschöpft. Selbst wenn sie, wie es leider der Trend ist, gelegentlich für Rockkonzerte oder Welttreffen von Religionsgemeinschaften von so untadeligem Ruf wie den Zeugen Jehovas oder den Anhängern der Moon-Sekte benutzt werden, steigert dies nur geringfügig den wirtschaftlichen Gewinn. Sollten die Besitzer die Stadien nicht besser verkaufen und an deren Stelle Hochhaustürme errichten, die einen ungleich höheren Profit abwerfen, und die Stadien an die städtische Peripherie verlegen, wo die Luft und die Verkehrsanbindung ohnehin deutlich besser sind? Ich glaube allerdings, daß der Grund für die Anziehungskraft der Stadien, zusammen mit einer sehr spezifischen Funktion, die nur sie erfüllen können, hinter ihrer vermeintlichen Funktionslosigkeit verborgen liegt.

Es mag weithergeholt klingen, aber ich vermute, daß Stadien in der Lage sind, das zu ›inszenieren‹ – oder ›gegenwärtig zu machen‹ –, was Martin Heidegger einmal die elementarste philosophische Frage nannte. Es ist die Frage, warum überhaupt irgend etwas existiert – und nicht nur nichts. Auf vielen Ebenen und in vielfältigen Situationen können Stadien diesen fundamentalen Gegensatz vergegenwärtigen und uns zu einem Teil davon machen. Unter der Woche, wenn sie geschlossen sind und sogar die Sportler überraschenderweise anderswo trainieren, sind die Stadien – beinahe sinnbildlich und aufgrund des eben beschriebenen wirtschaftlichen Paradoxes sogar demonstrativ – der einzige Ort in der Stadt, an dem nichts geschieht. Um sie herum braust die Geschäftigkeit des Alltags. Auf der nächsten Ebene gibt es vor jedem Sportereignis den einmaligen und aufregenden Moment, wenn das Spielfeld oder die Laufbahn bereits im Zentrum der Aufmerksamkeit stehen, aber noch leer sind und sich dies schlagartig in dem Moment ändert, den die Amerikaner *taking the field* nennen, wenn die Sportler das Feld ›besetzen‹. Viele Sportarten haben diesen wichtigen Moment ausgedehnt und ihn in ein eigenständiges komplexes Eröffnungsritual verwandelt. Diesem Ritual folgt – in einer Vielzahl spezifischer Formen – der unvorhersehbare und in strengem Kontrast dazu stehende Moment des eigentlichen Wettkampfbeginns. Denken Sie nur an die letzten Sekunden vor einem Sprintrennen oder einem Pferderennen; an den Augenblick, wenn der Schiedsrichter beim Eishockey zu Spielbeginn den Puck zwischen zwei Spieler aufs Eis fallen läßt; den Anstoß beim Fußball; oder die Sekunden vor Beginn der Kür im Eiskunstlauf, wenn der Tänzer in einer ganz bestimmten Pose verharrt und das Publikum stumm auf den ersten Takt der Musik wartet, nach deren Rhythmus sich der Tänzer bewegen wird. Vielleicht gibt es keine andere Sportart, die den Gegensatz zwischen dem Etwas und dem Nichts stärker hervorhebt als American Football. Ich meine damit vor allem die fünfundzwanzig Sekunden vor jedem Spielzug (*down*), wenn sich die zweimal elf Spieler der beiden Mannschaften in zwei Reihen gegenüberstehen und ihre potentiellen Bewegungen in einem Moment des Stillstands halten. Dieser Moment verkörpert nicht nur – einmal mehr – den Kontrast zwischen dem Standbildeffekt eingefrorener Bewegung und dem nachfolgenden komplexen und oft gewalttätigen Geschehen, das wir im Football als ›Spielzug‹ (*play*) bezeichnen. Er enthält auch das Potential eines weiteren Kontrastes, nämlich des Kontrastes zwischen einer kaum wahrnehmbaren kurzen Bewegung und ihrer Verwandlung in ein Nichts, wenn der Schiedsrichter das Spiel abpfeift, weil ein Verteidigungsspieler sich bewegt hat, bevor der *center* und der *quarterback* den Spielzug in Gang gebracht haben, oder wenn der *center* und der *quarterback* den Spielzug zu spät beginnen.

Wie bereits gesagt, ist es für unseren Gefallen am Sport und für den Kitzel, den einige Fans verspüren, wenn sie nur an einem leeren Stadion vorbeikommen, keineswegs notwendig, sich auf diesen intellektuellen Bahnen zu bewegen. Ganz im Gegenteil, es kann sogar unsere Freude schmälern, wenn wir beispielsweise Sportereignisse als ›Allegorien‹ der elementaren philosophischen Frage nach dem Etwas im Gegensatz zum Nichts ›lesen‹ – oder überhaupt als Allegorien eines mehr oder weniger ›tiefen‹ Sinns. Ich will deshalb ein letztes Mal unterstreichen, daß mein Ansatz nicht die Dimension von ›Repräsentation‹ und ›Interpretation‹ voraussetzt. Vielmehr möchte ich behaupten, daß sportliche Wettkämpfe in einem Stadion uns als Zuschauer in die Form eines Ereignisses einbinden können. In den Augenblicken, in denen ein kollektives Erleben mit den Spielern stattfindet, können wir zu körperlichen Elementen dieser Form werden. Wir sind dann Teil der ursprünglichen Spannung zwischen dem Etwas und dem Nichts, obwohl wir sie nicht ›repräsentieren‹ und weit davon entfernt sind, die Rolle, die wir dabei spielen, zu ›verstehen‹. Zugleich scheint von solchen Erlebnissen eine Energie und ein Genuß auszugehen, die sehr wohl süchtig machen können. Über diese Momente nachzudenken und Begriffe zu finden, mit deren Hilfe wir sie analysieren und sogar loben können, ist etwas ganz anderes, als sie zu ›lesen‹ (was Sie besser bleibenlassen) – obwohl ich gestehe, daß ich mir nur schwer vorstellen kann, wie jemand, der das ›Stadionfieber‹ nur vom Hörensagen kennt, die richtigen Begriffe finden könnte, es zu beschreiben.

Abfall und Aura

Wer aus Erfahrung oder aus reiner Vorstellungskraft den Eindruck teilt, daß einem Sportereignis zuzuschauen und sich dabei eins mit dem Publikum und den Sportlern zu fühlen, zu den erhebenden Momenten unseres Lebens gehören kann, mag sich weiter fragen, ob es nicht doch etwas gibt, das über diesen bloßen Moment hinausgeht. Gibt es nicht irgend etwas Bleibendes, etwas, das sich ›mit nach Hause nehmen‹ läßt, wenn das intensive unmittelbare Erleben vorüber ist? Das ganze Buch hindurch habe ich darauf bestanden, daß es mir lobenswert genug erscheint, wenn uns diese Momente im Sport auf ihre Art faszinieren und daß sie deshalb keiner weiteren praktischen oder transzendentalen Rechtfertigung bedürfen. Dennoch sollten wir als Sportfans gegen den Vorwurf gerüstet sein, daß Sportereignissen zuzuschauen reiner Hedonismus sei, und ihm mit der heiteren Gelassenheit desjenigen begegnen, der sich des Werts einer Sache sicher ist, ohne sie je wirklich erklären zu können.

Am Schluß meines Buches nach einem Moment im Erleben des Zuschauers zu suchen, der die Immanenz des Sports transzendiert, könnte wie das Bemühen um einen ›höheren Segen‹ in letzter Minute erscheinen. Dies ist allerdings ganz und gar nicht meine Absicht. Vielmehr möchte ich zum Schluß meines Essays einem starken, wenn auch undeutlichen (vielleicht sollte ich sagen ›intransitiven‹) Impuls der Dankbarkeit nachgehen, die ich den Sportlern gegenüber empfinde, weil ich ihnen einige dieser besonderen Momente der Intensität verdanke – (›intransitiv‹ deshalb, weil ich nicht so genau weiß, was es auf der Seite der Sportler ist, wofür ich dankbar sein könnte und sollte). Schließlich treten sie nicht für mich oder für die anderen Zuschauer bei Wettkämpfen an. Sie tun dies aus eigenem Antrieb und vermutlich auch aus eigenen guten Gründen. Ich möchte daher zum Schluß meiner Dankbarkeit auf indirekte Weise Ausdruck verleihen, indem ich zumindest eine Perspektive im Verhältnis zwischen Sportler und Zuschauer näher untersuche.

Sofern die pragmatische Frage nach dem Sinn des Sports, die auf einen unmittelbaren ›Nutzen‹ im Alltag abzielt, nicht mit der kompakten Formel der ›vorbeugenden Gesundheitsfürsorge‹ beantwortet wird, kommt einem als zweite Antwort – zumindest innerhalb der Welt des amerikanischen College-Sports – die naheliegende Behauptung in den Sinn, der Sport ›bilde den Charakter‹. Wie plausibel es auch erscheinen mag, daß die Schule der sportlichen Ertüchtigung sich zuletzt in einer positiven Arbeitshaltung niederschlägt, so sind der dazu erforderliche Einsatz und die Opfer doch zu groß und die Resultate zu vage, um den aktiven Sport als ein Mittel der Charakterbildung attraktiv zu machen. Darüber hinaus würde dies auch nicht für die Zuschauer gelten, weil deren Opfer ja minimal sind, wenn man sie überhaupt als wirkliche ›Opfer‹ bezeichnen kann. Damit stellt sich nach wie vor die Frage, ob es irgend etwas jenseits des reinen Gefallens gibt, das wir beim Betrachten von Sportereignissen unbeabsichtigt und unwissentlich wahrnehmen und wofür wir dankbar sein sollten. Ich will darauf eine versuchsweise Antwort geben.

Unter den Bedingungen unserer gegenwärtigen Kultur, die, wie keine andere Kultur zuvor, ein so deutliches Bewußtsein von den Grenzen der menschlichen Leistungsfähigkeit besitzt und sie vermutlich wie nie zuvor auszuspielen weiß, könnte der Reiz des Sports darin liegen, auf etwas zu warten, das in besonderen Fällen eintritt, ohne daß es dafür eine Garantie gibt, weil es die bekannten Grenzen menschlicher Leistungsfähigkeit übersteigt. Auf ein Ereignis zu warten, das sich aller Vorhersehbarkeit entzieht, ist vielleicht genau das, wofür wir uns als Sportzuschauer, ›versunken in fokussierte Intensität‹, offenhalten. Die antike griechische Kultur hatte eine (damals sehr plausible) Erklärung dafür, wie das, was eigentlich nicht geschehen konnte, in Ausnahmefällen dennoch geschah. Für die Griechen konnte es durch die Nähe der Götter geschehen, durch göttliche Intervention und Unterstützung, was zugleich erklärt, warum Athleten, denen dieses widerfuhr, zumindest manchmal in den Rang von Halbgöttern aufstiegen. Ohne den Glauben an die Möglichkeit göttlichen Eingreifens und an die erhebende Gegenwart der Götter ist die

Feier sportlicher Ereignisse, bei denen das geschieht, was sich unserer Erwartung entzieht, für uns zu einer – mehr oder weniger paradoxen – Feier der Grenzen menschlicher Leistungsfähigkeit geworden, wenn nicht gar zu einer Feier des Zufalls. Eine ›paradoxe‹ Feier deshalb, weil, anders als bei vergleichbaren Anlässen, die Freude über eine überwundene Grenze nicht bedeutet, daß diese Grenze nicht auch in Zukunft weiterhin besteht. Ganz im Gegenteil, die Ausnahme von einer Begrenzung zu feiern ist letzten Endes nur die nachdrückliche Bestätigung dieser Grenze. Aus diesem Grund gibt es auch keine größere Freude, als bei Olympischen Spielen oder einer Weltmeisterschaft, ganz gleich in welcher Sportart, einen bis dahin völlig unbekannten Sportler oder eine Außenseitermannschaft gewinnen zu sehen, deren Sieg niemand erwartet hat – und die vielleicht nie wieder die gleiche große Leistung erbringen werden.

Dies hat allerdings verheerende Konsequenzen (das Wort ist nicht zu hoch gegriffen) für Sportler, die sich vom Wettkampfsport verabschieden, und diese Konsequenzen haben unmittelbar damit zu tun, wie wir als Zuschauer unsere Stars während ihrer aktiven Zeit erleben wollen. Warum ist es für große Athleten so schwer, sich aus dem Spitzensport zu verabschieden? Warum kehrte Michael Jordan, der vermutlich größte Basketballer aller Zeiten, zweimal zurück, nachdem er zweimal seine unvergleichliche Karriere beendet hatte, obwohl er ganz genau wußte, daß dies nicht nur seinem Ruhm, sondern auch seinem Reichtum schaden mußte? Warum hört Mario Lemieux, einer der größten Eishockey-Spieler überhaupt, nicht auf, obwohl sein Gesundheitszustand nicht mehr als eine Handvoll Spiele pro Saison erlaubt und obwohl, was die Sache noch schlimmer macht, der Name und die Geschichte der Mannschaft, für die er weiterhin spielt, den schmerzlichen Vergleich zwischen dem gegenwärtigen Lemieux und seinem früheren Glanz und Ruhm unausweichlich macht? Eine Antwort lautet, daß es für große Sportler keine akzeptablen Lösungen für die Zeit nach dem Ende ihrer Karriere gibt. Unter gegenwärtigen Bedingungen werden Weltklasseathleten mit dem Ende ihrer Laufbahn buchstäblich zu ›Abfall‹. Natürlich hat es in den vergangenen Jahrzehnten eine breite Palette selbsterklärter ›Lösungen‹ gegeben, doch so verschieden sie auch sein mögen, keine gibt eine Antwort auf das eigentliche Kernproblem, nämlich die schlichte Tatsache, daß es zumindest für heutige Sportler keinen Weg gibt, von einer absoluten Ausnahmegestalt zu einem ganz normalen Bürger zu werden. Ich habe deshalb das Gefühl – und ich hoffe, einigen Lesern geht es genauso –, daß ich meinen Helden zumindest den Schmerz schuldig bin, den es bereitet, die unterschiedlichen Formen ihres Lebens nach dem Rückzug vom Sport aufzuzeigen, geduldig und im Detail.

Die erste Art des Lebens nach dem Ruhm haben wir gerade schon flüchtig erwähnt, und sie ist ein langsames Absterben: einige Sportler versuchen, den unvermeidlichen Abschied zu umgehen, indem sie ihn immer wieder aufschieben. Vor Michael Jordan und Mario Lemieux hat dies am deutlichsten Babe Ruth demonstriert, der als Spieler der Boston Braves nicht einmal mehr ein Schatten seines glorreichen Selbst war, nachdem die New York Yankees, deren Ruhm er praktisch im Alleingang begründet hatte, ihn 1935 mitleidlos wissen ließen, daß sie keine Verwendung mehr für ihn hätten. Die letzten Jahre seines Lebens verbrachte Babe Ruth damit, Tag für Tag vergeblich auf das Angebot eines Klubs zu warten, ihn zum Trainer zu machen. Doch selbst wenn ehemalige Sportler zu Trainern werden, oft zu ›Spielertrainern‹ wie Jordan oder Lemieux, sind sie in den seltensten Fällen glücklich damit. Indem sie ein Teil der Welt bleiben, in der sie einst Stars waren, wird nur allzu deutlich, wie normal sie mit einem Mal sind und wie unmöglich es für sie ist, ihr einzigartiges Talent und Charisma an ihnen anvertraute Sportler weiterzugeben. Die sauberste und anspruchsvollste Lösung, wie sie Joe DiMaggio und Sandy Koufax, zwei andere herausragende Baseballgrößen, wählten, erfordert das genaue Gegenteil, nämlich die radikale Selbstauslöschung. Mit allen Konsequenzen beschlossen DiMaggio und Koufax, sich nach dem Ende ihrer Karriere aus der Öffentlichkeit zurückzuziehen. Sie entschieden sich dafür, unerreichbar zu werden, ein zurückgezogenes Leben hinter den schützenden Rücken von Agenten zu führen, die ihre sämtlichen öffentlichen Belange vertraten. Sportler, die diesen

Weg gehen, lebten und leben auch heute noch ihr ganz privates Leben, oftmals buchstäblich verkleidet hinter dunklen Sonnenbrillen.

Dennoch sind die Arten des Abschieds vom Sport, die uns am deutlichsten zeigen, daß es keine wirklich guten Lösungen gibt, gerade die, die Journalisten und stolze Fans uns als ›gelungene Lösungen‹ anpreisen. Immer wieder gibt es Weltklassesportler, die anschließend auch in einem anspruchsvollen Beruf Spitzenleistungen vollbringen. Roger Bannister, der als erster die Meile unter einer Minute lief, wurde später ein erfolgreicher Neurologe. Noch bekannter sind jene Sportler, die den während ihrer aktiven Zeit erworbenen Reichtum nicht nur erhalten, sondern noch vermehren und ihren verbleibenden Ruhm und Wohlstand dazu benutzen, in der sozialen Hierarchie um mehrere Stufen aufzusteigen. Hierher gehört das sehr texanische Leben des ehemaligen Boxweltmeisters George Foreman – nach seiner Karriere wurde er zuerst Prediger –, der inzwischen mit dem Verkauf von Küchengeräten unter dem Namen »The George Foreman Grill« Millionen verdient. Franz Beckenbauer, der zweifellos größte deutsche Fußballer aller Zeiten, genießt heute ein noch höheres Ansehen, nachdem er (wenn auch mit erstaunlich wenig Eleganz) als Trainer die Nationalmannschaft zu einem Vizeweltmeister- und einem Weltmeistertitel führte. Mittlerweile ist Beckenbauer ein regelmäßiger Besucher der Opernfestspiele in Bayreuth. Er hat maßgeblich daran mitgewirkt, die Fußballweltmeisterschaft 2006 nach Deutschland zu holen. Und es gibt nur wenige deutsche Politiker, die sich nicht zu irgendeinem Zeitpunkt stolz ihrer Freundschaft zu Beckenbauer gerühmt hätten. All diese verschiedenen Rollen lassen aber nur um so bedrückender deutlich werden, daß Beckenbauer, einst ein Spieler von sprichwörtlich un-deutscher Eleganz, heute allenfalls ein durchschnittlicher deutscher Millionär ist. Doch selbst unter ästhetischen Gesichtspunkten sollte niemand Beckenbauer für seinen Lebensstil verurteilen. Er verdient gewiß, zumindest von der deutschen Wirtschaft, für seine außergewöhnlichen Leistungen große Anerkennung. Und doch kann ich, beinahe ›wider besseres Wissen‹, nicht umhin, seine Leistungen als Privatmann im

Vergleich zu den unvergleichlichen Spielen seiner großen Karriere als bittere Enttäuschung zu empfinden.

Ich bin allerdings unentschlossen, ob ich das viel geläufigere kleinbürgerliche Leben vieler ehemaliger europäischer Fußballstars weniger schmerzlich und niederschmetternd finden soll als die mondäne Existenz Beckenbauers. In der großen Zeit des Fußballs um die Mitte des letzten Jahrhunderts wurden ehemalige Stars oft Besitzer von Tabakkiosken oder Tankstellen, in einigen besonderen Fällen sogar mit angeschlossenem Restaurant oder Kino. Heute werden Spitzenathleten, nachdem sie bereits beträchtliche Summen angehäuft haben, zuerst Repräsentanten und später vielleicht ›regionale‹ Bezirksleiter für Firmen wie Adidas, Puma oder Nike. Manchmal geben sie ihren Namen für Kolumnen in der Klatschpresse, oder sie werden ›Fernseh-Spezialisten‹ in ihrer früheren Sportart (in den meisten Fällen allerdings sind sie dabei entweder zu wortkarg oder auf unbeholfene Art geschwätzig). Vielen Fans gefällt es, ihre Stars in diesen Rollen zu sehen, weil sie es beruhigend finden, daß ehemalige ›Halbgötter‹ auch nur ›Menschen wie du und ich‹ sind. Mir persönlich allerdings wäre es lieber gewesen, meine Erinnerungen an den unvergleichlich gefährlichen Stürmer Ferenc Puskas zum Beispiel hätten sich nicht mit den Bildern seiner Wiedergeburt als übergewichtiger, schwitzender Hersteller ungarischer Würste in Madrid getrübt.

Aber sind solche gesicherten Kleinbürgerexistenzen nicht vergleichsweise gnädige ›Lösungen‹, verglichen mit den zahllosen Halbgöttern des Sports, deren Existenzen aufgrund von Skandalen unterschiedlichster Art oder auch aus anderen Gründen einfach zerbrachen? Bei vielen zeigte sich ein dramatischer körperlicher Verfall, begleitet von dem nicht immer berechtigten, aber stets schwelenden Vorwurf, daß der physische Ruin der Preis für die vielen Strapazen sei, die sie ihrem Körper über Jahre zugemutet hatten. Als Babe Ruth 1948 zum letzten Mal im Yankee Stadion erschien, »dem Haus, das er gebaut hatte«, konnte er aufgrund seines Kehlkopfkrebses kaum noch sprechen, ein Umstand, den alle auf sein (für Baseballspieler typisches) Tabakkauen zurückführten. Im November 1994 vermeldete eine kurze Zeitungsnotiz, daß Wilma Rudolph, die aus einer Familie mit zwanzig Kindern stammte und das Unglaubliche geschafft hatte, trotz einer Verkrümmung des linken Beins die größte Sprinterin aller Zeiten zu werden, daß ebenjene Wilma Rudolph, geschiedene Mutter von vier Kindern und einstige Schirmherrin einer Initiative des Weißen Hauses zur Förderung benachteiligter Jugendlicher, im Alter von 54 Jahren an einem Hirntumor gestorben war. Bei der Lektüre der Notiz kam mir unwillkürlich der Gedanke, wie lange es in der Geschichte des Sports wohl noch dauern wird, bis die großen Sportlerinnen die gleiche Bewunderung erfahren wie ihre männlichen Kollegen – und dafür den Preis eines genauso trostlosen Sterbens und einer nicht einmal mittelmäßigen Existenz zu zahlen haben, wie viele männliche Sportler ihn in der Vergangenheit gezahlt haben und auch weiterhin zahlen werden.

Wenn Jesse Owens' Tod, der 1980 an Lungenkrebs starb, auch ein ganz gewöhnlicher Tod war, so waren die 44 Jahre, die ihm nach seinen Triumphen bei den Olympischen Spielen von 1936 blieben, eine lange Reihe von Fehlschlägen, was um so deprimierender ist, da es in jedem Kapitel seines Lebens wohlmeinende öffentliche Gesten und öffentliche Geldgeber gab, die ihm wieder auf die Beine halfen. Nachdem er versucht hatte, seinen olympischen Erfolg in klingende Münze zu verwandeln – mit Summen, die uns heute lächerlich vorkommen –, verlor Jesse Owens zunächst seinen Amateurstatus und stand 1939 völlig mittellos da. Im verzweifelten Bemühen, seinen Lebensunterhalt zu sichern, nahm Owens blind jedes Angebot an, das irgendeinen Gewinn versprach. Er lief mit Rennpferden um die Wette, trat für die Republikaner im Wahlkampf auf, stellte sich aber, wenn man ihn darum bat, auch bereitwillig hinter die politischen Ziele der afro-amerikanischen Bevölkerung. Nachdem das FBI ihn Anfang der fünfziger Jahre unter Kommunismusverdacht gestellt (und schließlich wieder freigesprochen) hatte, wurde er offizieller Botschafter des amerikanischen Präsidenten bei den Olympischen Spielen 1956 in Melbourne. Anschließend versuchte er sich in verschiedenen riskanten Unternehmen, die zu Beginn der sechziger Jahre erneut in einem finanziellen Fiasko endeten.

Das offizielle Amerika hielt dies allerdings nicht davon ab, Jesse Owens mit besonderen (wenn auch meist rein ideellen) Ehrungen zu überhäufen: 1972 ernannte ihn die Ohio State University, die er selbst besucht hatte, zum Ehrendoktor; 1974 verlieh Präsident Gerald Ford ihm die Freiheitsmedaille; und 1979 hob Präsident Jimmy Carter ihn offiziell in den Stand einer »Lebenden Legende« der Vereinigten Staaten. Es wäre nicht einmal eine besonders zynische Sicht, von diesem ›legendären‹ Leben zu behaupten, daß Jesse Owens' Ruhm ein zu wertvolles potentielles Werbeinstrument der Politiker war, um ihn ganz fallenzulassen, daß aber andererseits sein Leben nach seiner sportlichen Karriere stets enttäuschend genug verlief, um ihm keine Ruhe zu gönnen.

Ähnliches läßt sich, mit einer Eindringlichkeit, die den Ausdruck ›tragisch‹ rechtfertigt, auch von Muhammad Ali sagen, der vermutlich recht hatte, als er sich »den größten Boxer aller Zeiten« nannte. In Alis Fall ist es offensichtlich, daß die neurologische Krankheit, unter der er heute leidet, in unmittelbarer Verbindung zu seiner Boxkarriere steht – einige Spezialisten glauben sogar zu wissen, daß sein Zustand auf die Schläge zurückgeht, die Ali in seinen drei legendären Kämpfen gegen Joe Frazier einstekken mußte. Vor allem aber werden die vielen versöhnlichen Bücher über Ali diejenigen Fans, die ihn in jungen Jahren die amerikanische Staatsgewalt herausfordern sahen, nicht wirklich davon überzeugen, daß er heute ein glückliches und zufriedenes Leben führt. Um sich und seiner Familie eine sorgenfreie Existenz zu ermöglichen, ist er zu ständigen Kompromissen gezwungen. Als Ali bei der Eröffnungsfeier der ansonsten wenig glanzvollen Olympischen Spiele 1996 in Atlanta mit quälend langsamen Bewegungen und völlig ausdruckslosem Gesicht das olympische Feuer entzündete, konnte man dies mit gemischten Gefühlen sehen. Zweifellos hätte es keine andere behinderte Person so wie Ali vermocht, die Aufmerksamkeit von mehreren hundert Millionen Zuschauern auf sich zu ziehen und der Welt zu zeigen, wie unter einer bestimmten Perspektive selbst einfache Bewegungen, die von einer behinderten Person ausgeführt werden, eine beeindruckende sportliche Leistung sein können.

Doch ebenso wurde in diesem Moment in Atlanta auf schlagende Weise deutlich, was sonst niemand auszusprechen wagte. Hier war ein Mann, dessen überragendes Können vor nicht allzu langer Zeit mehrere Generationen von Zuschauern in den Bann gezogen hatte (und das in einem Maße, daß die Entscheidung des Komitees, das ihn zum »größten Sportler des 20. Jahrhunderts« wählte, allgemeine Zustimmung fand) – und dieser Mann zahlte dafür einen Preis für den Rest seines Lebens, nicht nur mit seinem Körper, der den Befehlen des Kopfes nicht mehr gehorcht, sondern auch mit seinem Einverständnis, diesen Körper aller Welt öffentlich vorzuführen.

Andere Sportler werden nach ihrem Abschied vom Leistungssport Opfer jenes Rassismus, den der junge Ali – unter Einsatz erheblicher persönlicher Risiken und mit bewundernswertem Erfolg so entschlossen bekämpft hatte. Jim Thorpe, Sohn eines irischen Vaters und einer indianischen Mutter, hatte bei den Olympischen Spielen 1912 in Stockholm sowohl den Fünfkampf als auch den Zehnkampf gewonnen, und der Legende nach soll der schwedische König ihn anschließend als »den größten Sportler dieser Erde« gerühmt haben. Nicht einmal ein Jahr später mußte Thorpe sich vor dem olympischen Komitee seines Landes für etwas verantworten, was viele weiße Sportler zuvor ohne irgendwelche Sanktionen getan hatten: Thorpe wurde beschuldigt, als Baseballspieler eine geringe Summe Geld entgegengenommen zu haben. Er mußte seine olympischen Medaillen zurückgeben, verfiel dem Alkohol und verbrachte seine verbleibenden Jahre abwechselnd in einem Indianerreservat und der Welt des billigen Amüsements. Thorpes Biographie bekam noch nach seinem Tod eine groteske Fußnote, als seine Witwe 1953 den Leichnam an eine Kleinstadt in Pennsylvania verkaufte (in der er nie gelebt hatte) und seine Überreste als Legitimation dafür herhalten mußten, daß sich das Dorf den Namen dieses großen Athleten gab.

Die beiden Cousins Alfred und Gustav Felix Flatow waren deutsche Juden und besaßen einen Fahrradladen in Berlin. Sie gehörten zu der Handvoll herausragender Sportler, die sich dem Bann des nationalen Turnerbunds widersetzten, der allen deutschen Athleten mit Ausschluß drohte, die der Einladung zu den ersten Olympischen Spielen 1896 folgten und sich dadurch der internationalen Ideologie Coubertins anschlossen. Mit fünf Goldmedaillen – und einer Silbermedaille, die sie gemeinsam errangen (beide waren Mitglieder der siegreichen deutschen Mannschaften am Barren und am Reck, während Alfred auch noch den Einzelwettbewerb am Barren gewann und am Reck Silber holte) – gehörten die Flatows zu den erfolgreichsten Teilnehmern der ersten Olympischen Spiele der Neuzeit. Es gibt allen Grund, anzunehmen, daß sie nach ihrer Rückkehr tatsächlich aus dem Turnerbund ausgeschlossen wurden. Mit Sicherheit aber wissen wir, daß das nationalsozialistische Regime Alfred und Gustav Felix Flatow 1942 im Konzentrationslager Theresienstadt ermorden ließ. Die Beklemmung angesichts dieser Fakten über die Flatow-Cousins lenkt die Aufmerksamkeit auf ein häufig wiederkehrendes Muster im Verhältnis zwischen Sportlern und ihren ehemaligen Fans im Anschluß an ihre Karriere. Wann immer Sportler zu einer vom Rassenhaß bedrohten Minderheit gehören, egal ob sie jüdischer, indianischer oder afrikanischer Abstammung sind, werden sie nach ihrem Abschied vom Sport leicht zur Zielscheibe von Racheakten, die sich aufgrund von Frustrationen über das eigene Mittelmaß entladen. Es ist bloße Fiktion – aber eine Fiktion, die eine Wahrheit aufscheinen läßt –, sich vorzustellen, daß der SS-Offizier, der die Ermordung von Alfred und Gustav Felix Flatow veranlaßte, deutscher ›Turner‹ und ein treuer Gefolgsmann der Ideologie des ›Turnerbunds‹ war. Aus anhaltender Enttäuschung über sein eigenes Versagen, je einen sportlichen Wettkampf zu gewinnen, hätte ein solcher ›Turner‹ der SS nur zu gerne die Hinrichtung von zwei Juden beschlossen, die einst seine Träume von der Überlegenheit der eigenen Rasse lächerlich gemacht hatten.

Dennoch ist der unmögliche Übergang von einem Leben als Spitzenathlet, der das Unerwartete erreicht, zu einem Leben in unerträglicher Normalität nicht auf den Haß der anderen angewiesen, um sich in eine Katastrophe zu verwandeln. Viel typischer als die Geschichte derer, die auf furchtbare Weise zu Opfern werden, sind die Lebensgeschichten ehemaliger Weltklasseathleten, die das Opfer ihres eigenen Destruktionstriebs sind. Zu jedem beliebigen Zeitpunkt leben sie zu Hunderten unter uns, und manchmal lesen wir sogar von ihrem Schicksal in der Zeitung. Ein berühmtes Beispiel aus jüngerer Zeit ist der Fall des ehemaligen Schwergewichts-Champions Mike Tyson. Mittlerweile knapp vierzig, von ständig wechselnden Managern falsch beraten und vor allem seiner bedrohlichen Aggressivität verlustig, deren Ausbrüche wir in den achtziger Jahren so gerne vor dem Fernseher verfolgten, kann Tyson mit Sicherheit niemals mehr genug Kämpfe bestreiten, geschweige denn gewinnen, um seine mehrere zehn Millionen Dollar Schulden zurückzuzahlen. Genausowenig wird Darryl Strawberry, einer der talentiertesten Baseball-Spieler der Generation, die heute vom aktiven Sport Abschied nimmt, sich jemals aus dem Netz von Bewährungsfristen, Drogenabhängigkeit, Krebstherapien und erdrückenden Schulden befreien, das ihn gefangenhält. Diego Maradona, der brillanteste Stürmer, der zu meinen Lebzeiten Fußball gespielt hat, mag mit seiner Kokainsucht einige Monate früher oder später sterben (wenn es Sinn machte, würde ich für seine Heilung beten, wie so viele seiner argentinischen Fans es tun), doch wird es vor seinem Alter sein, und sein Tod wird eine Folge von Maradonas Unvermögen sein, einen Übergang in eine weniger heldenhafte Existenz zu finden. Aus dem gleichen Grund ist es unwahrscheinlich, daß Gerd Müller, einer der vielen Alkoholiker unter den Fußballstars von gestern, der nicht nur die meisten, sondern auch die unmöglichsten Treffer für Deutschland erzielte, jemals wieder ein unabhängiges Leben führen wird, ein Leben, das nicht von der Gnade seiner ehemaligen Mannschaftskameraden abhängt, die mittlerweile als Manager mit Bayern München Millionen verdienen, dem Team, das Gerd Müller durch seine Tore in die Welt der europäischen Spitzenvereine schoß.

In Müllers glorreichen Tagen kannte jeder Fan das Gerücht, daß dieser begnadete Torjäger nicht besonders helle sei, ein stolzer Eigenheimbesitzer, der Journalisten daheim in Unterhosen empfing, und ein noch stolzerer Familienvater, der mit Leib und Seele die Würfelspiele aus dem Kindergarten seiner Töchter spielte. Während Müller auf dem Rasen als Halbgott galt, war er auch so etwas wie ein klassischer ›heiliger Narr‹ – was heute seine Eingliederung in jede Art von Beruf unmöglich macht und damit den Zustand seines nutzlosen Lebens zementiert. Manchmal kommt es mir sogar so vor, als ob es eine enge Verbindung zwischen der großen Zeit des Fußballs und dem Typ des ›heiligen Narren‹ gibt. Werner Kohlmeyer, linker Verteidiger der Weltmeisterelf von 1954, der im Finale in der letzten Minute einen Ball auf der Torlinie abwehrte, wurde von seinen Mitspielern ständig gehänselt. Fritz Walter, der Kapitän der Mannschaft, berichtet in seiner Autobiographie, wie er und seine Kameraden auf dem Rückflug vom ersten Länderspiel gegen die Sowjetunion sämtliche Meerschweinchen, die ihnen ihre kommunistischen Gastgeber aus unerfindlichen Gründen geschenkt hatten, in Kohlmeyers Koffer stopften. Das Spiel in Moskau sollte eines von Kohlmeyers letzten Länderspielen werden. Einige Monate später ließen sich die Anzeichen seiner Alkoholsucht nicht länger verheimlichen, doch verweigerte er jede Hilfe, die ihm seine ehemaligen Mannschaftskameraden und Trainer anboten. 1974 starb Kohlmeyer, bei einer Regionalzeitung als ›Parkplatzwächter‹ angestellt, im Alter von fünfzig Jahren an Herzversagen, nur wenige Wochen bevor Deutschland zum zweiten Mal Weltmeister wurde.

Werner Kohlmeyers Leben kommt mir dabei noch wie eine harmlose Version des Lebens von Manoel Francisco dos Santos vor, der als Mané Garrincha mit der brasilianischen Mannschaft 1958 und 1962 Fußballweltmeister wurde und der, was noch wichtiger ist, der beste Rechtsaußen aller Zeiten war. Geboren wurde er in Pau Grande, einem Slum am Stadtrand von Rio de Janeiro. Wie Wilma Rudolph überwand auch er in unglaublicher Weise Lauf- und Wachstumsprobleme in der Kindheit, denen er seine markanten O-Beine verdankte. Der Name ›Garrincha‹, den seine Fans für ihn erfanden, bezog sich auf diesen auffälligen Defekt und auf seine schmächtige Konstitution – obwohl darin auch eine Anspielung auf seinen naiven Charakter enthalten war. Nichts erfüllte Garrincha mit größerem Stolz, als mit seinem VW-Käfer durch Pau Grande zu fahren, was darauf hindeutet, daß er selbst für brasilianische Verhältnisse Ende der fünfziger

Jahre skandalös unterbezahlt war. Garrinchas fußballerisches Können bestand aus einer einzigen, nicht einmal besonders komplexen Bewegung. Er täuschte eine Körperbewegung zur einen Seite an und zog dann auf der anderen Seite mit dem Ball an dem Gegenspieler vorbei. Alle großen Verteidiger seiner Zeit fielen auf diesen Trick herein, obwohl sie ihn genausogut kannten wie die Zuschauer in jedem Fußballstadion der Welt. Dennoch war er damit so erfolgreich, daß Garrincha seine Gegner wieder und wieder narrte und darüber buchstäblich manchmal zu schießen oder abzuspielen vergaß. Nachdem ihm mit dreißig Jahren schon der Ruf anhing, Alkoholiker zu sein, spielte Garrincha noch für zahllose Mannschaften in ganz Südamerika, manchmal kaum mehr als ein Spiel, bevor er an den nächsten Verein verkauft wurde, weil er ständig betrunken war. Wie Kohlmeyer, der womöglich als direkter Gegenspieler Garrinchas angetreten wäre, hätte Deutschland in jenen Jahren gegen Brasilien gespielt, starb er mit fünfzig an Herzversagen.

Der Star der uruguayischen Nationalmannschaft, die bei den Spielen 1924 in Paris und 1928 in Amsterdam olympisches Gold und zwei Jahre später bei der ersten Fußballweltmeisterschaft in Montevideo den Titel gewann, war José Leandro Andrade. Anfang und Ende seines Lebens ähneln dem von Werner Kohlmeyer und Mané Garrincha, doch scheint »el Negro Andrade«, wie seine Mannschaftskameraden und Fans ihn bewundernd nannten, alles andere als ein heiliger Narr gewesen zu sein. Wer sich auf Seiten im Internet umsieht, die vor allem Teenager und noch jüngere Sportfans begeistern, wird unter den chronologisch aufgelisteten Namen der zehn oder zwanzig weltbesten Fußballspieler aller Zeiten José Leandro Andrade durchgängig an chronologisch erster Stelle finden. Auch wenn es nie offiziell erwähnt wird, weil der Fußball sich gerne so präsentiert, als hätte er keine Geschichte, entspricht es der geschichtlichen Wahrheit, daß Andrade sich wie kein anderer Spieler im ersten Drittel des 20. Jahrhunderts um die internationale Faszination des Fußballs verdient gemacht hat. Es gibt nur ganz wenige Fotografien, auf denen er zu sehen ist. Fast alle sind Mannschaftsbilder der damals dominierenden uruguayischen Nationalelf. Er ist einer der wenigen Schwarzen im Team, und er ist etwas größer als die meisten seiner Mannschaftskameraden (wir wissen, daß er tatsächlich über einen Meter achtzig groß war, im damaligen Fußball eine Ausnahme). Auf allen Fotos trägt Andrade Knieschoner an beiden Beinen, wie sie heute lediglich einige Torhüter tragen. Er ist perfekt gebaut, und im Gegensatz zu den meisten anderen Spielern zeigt er nie ein Lächeln. Andrade wirkt auf allen Aufnahmen ernst und voller Selbstvertrauen.

Die meisten Zeugnisse seiner Fußballerkarriere stammen von den Olympischen Spielen 1924 in Paris, bei denen dank der Spieler aus Uruguay, die im Finale die Schweiz mit 3:0 bezwangen, Fußball zu einer der Hauptattraktionen wurde – vielleicht zum ersten Mal bei einem internationalen sportlichen Großereignis. Kein anderer Spieler faszinierte die Zuschauer im Stade Colombe mehr als José Leandro Andrade, wie die Tageszeitung *El Dia* in Montevideo in ihrer Ausgabe vom 11. Juni stolz berichtet:

> Leandro ist der ›Held‹, der Barde, der ›Mann mit den unglaublichen Beinen‹, der ›Ausnahmefußballer‹. Glauben Sie vielleicht, lieber Leser, soviel Lob sei übertrieben? Wenn ja, liegen Sie schlichtweg falsch: Andrade hat alle diese Bezeichnungen unstrittig verdient. Es ist unmöglich, über ihn zu sprechen oder zu schreiben, ohne dabei in Superlative zu verfallen.

Die uruguayische Nationalmannschaft war einige Wochen vor Beginn der Olympischen Spiele angereist, um noch eine Reihe von Testspielen gegen spanische Erstligaklubs zu absolvieren. Vom Tag ihrer Ankunft an registrierten seine Mannschaftskameraden gespannt oder neidisch, wie Andrade mit Liebesbriefen überschüttet und ständig umschwärmt wurde. Es war die Zeit, in der nicht nur europäische Intellektuelle afrikanische Schönheit und Anmut entdeckten. Andrade war ein bemerkenswert guter Tänzer, vor allem liebte er die damals populären argentinischen und uruguayischen Tangos, was das Gerücht durchaus plausibel macht, daß er Angebote für Auftritte in mehreren Pariser Kabaretts hatte.

Wie aber war Andrades Stil als Fußballer? Die überraschende

Antwort ist, daß wir es nicht wissen und vermutlich auch nie wissen werden. Es gibt etwas Filmmaterial vom olympischen Finale 1924, allerdings zu wenig, um einen wirklichen Eindruck von seinem Stil zu gewinnen. Alle schriftlichen Beschreibungen sind entweder zu enthusiastisch oder zu allgemein, als daß sie uns eine genaue Vorstellung vermitteln könnten. Das Bild des Sportlers Andrade ist wie das Bild, das wir vom Anfang des Universums haben: Noch immer empfangen wir Wellen einer außerordentlichen Erschütterung, die ohne Zweifel stattgefunden haben muß, aber wir haben diese Erschütterung nicht gesehen und werden sie auch nie sehen. Alles, was uns von Andrades Spiel bleibt, sind langsam schwächer werdende Wellen höchster Bewunderung und intensiven Begehrens – und eine Handvoll trockener Fakten. Andrade spielte auf einer Position, die man damals ›Läufer‹ nannte und die heute vermutlich der Rolle von Spielern wie Zidane oder dem Brasilianer Ronaldinho entspricht (der überdies eine gewisse äußere Ähnlichkeit mit Andrade besitzt). Wie herausragende Mittelfeldspieler heute übernahm auch Andrade teilweise defensive Aufgaben. Und wie es für diese Position immer schon typisch war, schoß er nur selten Tore. Dennoch waren alle, die ihn jemals spielen sahen, von der mühelosen Eleganz seiner Bewegungen hingerissen. Andrade war berühmt dafür, daß er auf dem Platz nie am Jubel über ein Tor teilnahm und in der kleinen Welt des uruguayischen Fußballs so gut wie nie zum Gruppentraining erschien – oft nicht einmal zu den Spielen. Tatsächlich nahm er nur an etwa der Hälfte der Spiele teil, die seine Nationalmannschaft zwischen 1923 und 1930 absolvierte.

Alles andere, was wir über José Leandro Andrade wissen, hat den Ton einer Legende. Geboren wurde er am 1. Oktober 1901 in Salto, einer Kleinstadt im Norden Uruguays, nahe der brasilianischen Grenze. Seine Mutter war Argentinierin. José Ignacio Andrade, dessen Name sich auf José Leandros Geburtsurkunde findet und der allem Anschein nach der Vater war, befand sich zu dem Zeitpunkt in seinem achtundneunzigsten Lebensjahr. In seiner Jugend war José Ignacio vermutlich als Sklave von Westafrika nach Brasilien verschleppt worden, und Jahrzehnte später war er von einer Farm im Süden Brasiliens geflohen. José Ignacio Andrade stand in dem Ruf und verdiente seinen Lebensunterhalt damit, sich auf magische afrikanische Rituale zu verstehen, besonders auf Liebeszauber. Wann genau sein Sohn José Leandro Andrade nach Montevideo kam und von welcher Zeit an er – mehr oder weniger offiziell – bezahlten Fußball spielte, ist unklar. Gerüchten zufolge arbeitete José Leandro gelegentlich als Gigolo im Hafenviertel von Montevideo. 1923 aber gehörte er zu der Mannschaft, die Südamerikameister wurde. Nachdem er im Anschluß an den großen Triumph von 1924 mehrere Monate in Paris verbracht hatte, ging José Leandro Andrade 1925 mit der Mannschaft von Nacional, bis heute neben Peñarol eines der beiden herausragenden uruguayischen Teams, auf eine Rundreise durch Europa. Während dieser Tour, genauer gesagt im Mai 1925 in Brüssel, wurde bei ihm eine Syphiliserkrankung diagnostiziert. Andrade kehrte noch vor seinen Mannschaftskameraden nach Montevideo zurück und gab bei seiner Ankunft im Hafen am 22. Juli – dies ist eines der Gerüchte, die tatsächlich der Wahrheit entsprechen – eines der wenigen Interviews seines Lebens. Wir haben von Andrade kein unmittelbareres Zeugnis als die folgenden Sätze:

> Auf den ersten Blick wirkt José Leandro Andrade, mit dem wir die Gelegenheit zu einem kurzen Gespräch hatten, nicht wie von schwerer Krankheit gezeichnet. Er scheint seit seiner letzten Abreise aus Montevideo etwas an Gewicht verloren zu haben, aber er wirkt ganz und gar nicht leidend. Sobald wir allerdings unser Gespräch begannen, änderte sich dieser Eindruck. Andrade redet nur wenig, und diejenigen, die ihn schon längere Zeit kennen, glauben sogar, Anzeichen von Depression in seinem Gesicht zu erkennen. Nach seiner Gesundheit gefragt, antwortete Andrade: »Ich bin zurückgekehrt, weil ich mich etwas schwach fühle, und ich werde mich in ärztliche Behandlung begeben, um so schnell wie möglich gesund zu werden. Hier in Montevideo weiß ich, daß alles wieder gut werden wird. Ich vertraue unseren Ärzten mehr als den Ärzten im Ausland.«

Tatsächlich aber sollte das Leben für Andrade nie wieder gut werden. Unter ständiger Erschöpfung leidend, schaffte er es gerade noch, in die uruguayische Mannschaft aufgenommen zu werden, die 1928 bei der Olympiade in Holland ihre zweite Goldmedaille holte. Und daß er überhaupt an der Weltmeisterschaft von 1930 teilnehmen konnte, lag wohl eher an den Erwartungen der Journalisten und Zuschauer als an der Qualität seines Spiels. Sicher ist nur, daß das ständig wachsende Fußballpublikum jener Jahre immer noch den schwarzen Weltstar Andrade sehen wollte. Nach der Weltmeisterschaft jedoch ging es mit seinem Spiel und seiner Gesundheit rapide bergab. Obwohl José Leandro Andrade noch fast drei Jahrzehnte lebte, konnte er nie mehr einen festen Beruf ausüben und scheint sämtliche Stadien des syphilitischen Verfalls durchlitten zu haben. Er starb am 4. Oktober 1958, drei Tage nach seinem 57. Geburtstag. Sein Leichnam wurde im Haus seiner Schwester Nicasia aufgebahrt, der Mutter von Victor Rodríguez Andrade, der in jener Mannschaft spielte, die 1950 in Rio de Janeiro sensationell Uruguays zweiten Weltmeistertitel gegen Brasilien gewann.

∗

Ein Großteil dieses Schlußkapitels muß wie eine Litanei geklungen haben. In immer neuen Anläufen wurden Namen von Männern und Frauen aus der Vergangenheit heraufbeschworen, die alle ein ähnliches Schicksal verband. Unter inhaltlicher Perspektive mag dieses Kapitel auch wie eine Art *chronique scandaleuse* oder wie Lebensbeschreibungen von Heiligen erscheinen, genauer gesagt, wie die Kurzbiographien von Märtyrern. Doch wenn diese Porträts auch zeigen sollen, wie das Leben von Spitzensportlern beinahe unausweichlich zu Abfall wird, sobald sie sich aus der Welt von *Arete* und *Agon* zurückziehen, verweist das Wort ›Aura‹ in der Überschrift dieses Kapitels nicht auf Sportler als ›Heilige‹ oder ›Märtyrer‹ – und schon gar nicht auf eine mögliche *chronique scandaleuse*.

Worauf ich ganz im Gegenteil hoffe und zähle, ist, daß die Namen und ihre Schicksale eine spontane Regung der Dankbarkeit bei Ihnen erweckt haben, zumindest bei jenen Lesern, die begeisterte Sportzuschauer sind und deshalb vielleicht einige dieser Sportler in der Zeit ihrer größten Triumphe gesehen haben. Dennoch kommt mir, wie ich schon zu Anfang gesagt habe, diese Dankbarkeit oder wenigstens meine ganz persönliche Dankbarkeit gegenüber diesen Sportlern seltsam intransitiv vor. Zum einen ›intransitiv‹ in historisch weiter zurückliegenden Fällen wie dem von José Leandro Andrade, weil wir nicht wissen – und auch nie wissen werden –, wie seine Spielweise aussah und warum sie ein so starkes erotisches Begehren auslöste. Aber auch ›intransitiv‹ in Fällen wie dem von Mané Garrincha, meinem persönlichen Lieblingsfußballer, an dessen Bewegungen und Tricks ich mich im Gegensatz zu Andrade mit bildhafter Deutlichkeit erinnern kann. Natürlich wünschte ich, Garrincha hätte ein besseres Leben und einen weniger traurigen Tod gehabt – doch selbst wenn er heute noch, einundsiebzigjährig, als verehrte brasilianische Ikone lebte, wie groß wäre die Wahrscheinlichkeit, daß ich ihm zum Dank die Hand reichen und ihm sagen könnte, daß mir in meinem Leben tatsächlich nur wenige Dinge ein größeres Glücksgefühl verschafft haben, als seinem atemberaubend schönen Spiel zuzusehen? Und selbst wenn ich tatsächlich Garrinchas Hand schütteln könnte, welche Chance gäbe es denn, ihm meine Dankbarkeit zu zeigen – ohne dabei Verlegenheit oder Herablassung zu zeigen?

Lange Zeit wußte ich keine Antwort auf diese Frage, die zugleich die Frage beinhaltet, warum man den Sport überhaupt loben sollte. Bis ich in einem Zusammenhang, der nichts mit meinem Interesse am Sport zu tun hatte, auf ein Interview eines von mir hoch geschätzten ehemaligen Kollegen, Romanciers und Lyrikers stieß. Es war der große Mediävist Paul Zumthor, dessen Klugheit ich seit seinem Tod im Jahr 1995 sehr vermisse. Nach eher persönlicher Motivation für seine große intellektuelle Produktivität in den Jahren nach seiner Emeritierung gefragt, gab Zumthor zur Antwort:

> Ich versuche mich davon zu überzeugen, daß es nicht in meiner Verantwortung liegt und noch nicht einmal mein Problem ist, wenn ich eines Tages durch meine Gesundheit, durch sich zufällig ergebende Umstände oder durch mein Schicksal daran gehindert werde, meine Arbeit fortzusetzen, und sterben werde. Was ich hingegen als meine Verantwortung betrachte, ist etwas ganz anderes:

Sie liegt darin, mir Projekte meiner zukünftigen Arbeit vorzustellen, die mich im Leben halten; und – wenn dies eben möglich ist – zu versuchen, diese Projekte zu Ende zu bringen und auf diese Weise meine Liebe zum Leben zu bezeugen.

Was nun haben diese Gedanken des verstorbenen Paul Zumthor über seine wissenschaftlichen Projekte mit dem Betrachten von Sportereignissen und dem Lob des Sports zu tun? Erst durch sie wurde mir klar, daß sich an Jesse Owens, Wilma Rudolph oder Mané Garrincha zu erinnern oder auch die vergangene Schönheit von Muhammad Alis, Akebonos oder Diego Maradonas sportlichen Leistungen zu loben, eine Möglichkeit ist, Dankbarkeit für mein Leben wie auch Liebe zum Leben überhaupt auszudrücken. Das Lob des Sports entspringt genau diesem Impuls der Dankbarkeit – nur muß sie intransitiv bleiben. Da ich niemals mit meinen einstigen Helden sprechen werde und da ich keine Götter kenne, zu denen ich beten könnte, ist das, was ich schreibe, tatsächlich Ausdruck meiner Dankbarkeit für mein Leben, ein ganz persönliches – manche werden vielleicht sagen sinnloses – Bekenntnis dessen, was man Liebe zum Leben nennt.

Für Sätze wie diese bin ich in den vergangenen Jahren als »religiöser Denker wider Willen« gelobt und getadelt worden, der, ich zitiere, »eine eigentümliche Art von Vitalismus« propagiert. Warum nicht – oder auch: Warum? Während ich einerseits nichts gegen diesen Verdacht unternehme, kann ich mich doch nicht in irgendeiner Weise als ›religiös‹ begreifen. Zugleich will ich nicht bestreiten, daß der ausschließlich zerebrale Ton der akademisch-intellektuellen Welt, zu der ich gehöre (und deren typischer Vertreter ich vielleicht bin), mir schon seit geraumer Zeit auf die Nerven geht. Könnte es sein, daß ich Sportlern auf eine Weise zuschaue – und sie liebe und bewundere –, die Platons berühmtem Mythos vom Ursprung der Liebe aus dem *Symposion* entspricht? Sind Sportler, in ihrer Anmut und Eleganz, in ihrer Gewalt und in ihrem Unvermögen, zu einem normalen Leben zurückzufinden, so etwas wie meine ›andere Hälfte‹, die ich nicht wiederfinden kann, um mit ihr eins zu werden? Ursprünglich sollte dieser Gedanke am Schluß meines Buchs stehen. Doch wenn ich ehrlich bin, muß ich Martin Seel recht geben, der die Idee, daß wir uns in einen anderen Menschen verlieben, um unsere verlorene Hälfte wiederzufinden, »reichlich verschroben« findet und der mich außerdem daran erinnerte, daß es einer intellektuellen Kehrtwendung gleichkäme, am Ende dieses »Lob des Sports« ausgerechnet Platon als höchste Autorität anzuführen. Von Martin Seel stammt auch der Satz, der ein wunderbarer Schlußsatz meiner Überlegungen sein könnte: »Als Zuschauer von Sportereignissen können wir uns in Leben hineinträumen und uns an ihnen erfreuen, für die wir weder das Talent noch die Zeit haben.«

Dafür dankbar zu sein, schrieb Miguel Tamen mir am gleichen Tag, »sollte uns als Bestätigung dienen, daß in unserem Leben nicht Neid, sondern Begeisterung und Bewunderung zählen, in dem Sinne, daß das, was geschieht, wichtiger ist, als die Tatsache, daß es uns geschieht«. Es ist der Glanz so vieler Sportler – vergangener, gegenwärtiger und zukünftiger –, der unsere Dankbarkeit und unser Lob verdient. Die Empfindung dieser Dankbarkeit ist für mich stärker als die Erinnerung an das eine oder andere Sportereignis in meinem Leben. Und ebenso wichtig war am Ende auch die Erfahrung, Freunde zu haben, die mit ihren Worten aushelfen, wo mir die Worte fehlen.

Dank

Dieses Buch endet mit einigen Gedanken über Dankbarkeit, die zugleich ein (intransitiver) Ausdruck von Dankbarkeit sind. Es geht um die Dankbarkeit, die ich für so viele ehemalige und gegenwärtige Sportler empfinde – und die vermutlich niemals diejenigen erreichen wird, denen ich mit so großer Leidenschaft und Bewunderung zuschaue. Dennoch hatte ich das Gefühl, daß dieser intransitiven Dankbarkeit im Schreiben Ausdruck zu geben, für mich zu einer Geste wurde, die mir hilft, mich im Leben zu halten. Die Dankbarkeit, die ich für meine Helden im Sport empfinde, ist deshalb verbunden mit der Dankbarkeit, die ich für jene empfinde, die meine Arbeiten zum Sport seit mittlerweile vielen Jahren mit Geduld und sehr viel Wohlwollen begleitet haben. Meine Dankbarkeit gegenüber Kollegen und Freunden jedoch muß nicht zwangsläufig intransitiv bleiben, da ja die Hoffnung besteht, daß zumindest einige von ihnen dieses Buch und auch seine letzten Seiten lesen.

Obwohl ich also eine höfliche Verpflichtung spüre, an dieser Stelle Dank zu sagen, bedeutet Höflichkeit nicht, daß mein Dank weniger aufrichtig und ihn auszusprechen weniger dringend wäre. Vielmehr möchte ich den Schwung dieses Drangs nutzen (bevor daraus ein ›schlechtes Gewissen‹ wird) und an erster Stelle allen Kollegen danken, von deren Büchern und Aufsätzen ich profitiert habe, ohne sie namentlich zu nennen. Meine einzige Entschuldigung dafür ist, daß dies aus verschiedensten Gründen (die hoffentlich implizit klarwerden) ein Buch ohne Fußnoten geworden ist. Fehlende Fußnoten sind allerdings kein Zeichen fehlender Dankbarkeit. Unter den zahllosen Autoren (von denen einige gute Freunde sind), die mit ihren Arbeiten meine eigene Arbeit ermöglicht haben, geht mein Dank an Gunter Gebauer in Berlin, der mit mir beim Thema Sport so gut wie nie einer Meinung ist, doch dessen Scharfsinn ich bewundere und dessen Argumente ich zu fürchten lernte; an Josef Göhler aus Würzburg, der mir in jungen Jahren zeigte, daß zwischen einer Gelehrtenexistenz und der Verehrung schöner Körper kein

Gegensatz bestehen muß; an Allen Guttmann, die Nummer eins unter den Sporthistorikern; an Glenn Most in Florenz, Pisa und Chicago, der, ohne Sportfan zu sein, inspirierender über die griechischen Sportler der Antike schrieb, als weniger kompetente Enthusiasten dies könnten. Ganz besonders, wie gesagt, bin ich all jenen zu Dank verpflichtet, die nicht ausdrücklich genannt werden, obwohl sie es verdient hätten, weil sie mich mit ihrem Wissen und ihren Ideen unterstützten (und ich fürchte, es sind noch weit mehr, als ich in Erinnerung habe).

Noch unmittelbarer war die Unterstützung von Freunden zu spüren, die während der Arbeit an diesem Buch intensive Diskussionen mit mir führten, darunter zwei auf so großzügige Weise, daß ›professionelle‹ Intellektuelle sie für ›unprofessionell‹ halten würden, weil ihre Mitarbeit sie praktisch zu Co-Autoren gemacht hat. Da sie aber auf der Titelseite nicht erscheinen, möchte ich mich hier ausdrücklich bei dem unheimlich klugen Martin Seel in Gießen, Frankfurt und Heidelberg und dem scharfsinnigen Miguel Tamen in Lissabon, Chicago und Stanford als meinen wahren Co-Autoren bedanken. Auch auf die Gefahr hin, zuzugeben, daß ich nicht viele eigene Ideen habe, gehören in die Ehrenlegion geistiger Sponsoren mein Bibliotheksnachbar Bliss Carnochan, der mich mehr als ein Kapitel umschreiben ließ (was mir zuerst gar nicht paßte); Felicitas Noeske in Hamburg für ihre unaufdringliche Autorität; Nico Pethes in Bonn, der mich davor bewahrte, zu untheoretisch zu werden; Lucia Prauscello in Pisa, die sich um ausreichend Schlaf für mich sorgte (in der Green Library und zu Hause); Henning Ritter in Frankfurt, Wetterau und Rio de Janeiro, der mich mit mehr wichtigen Büchern versorgte, als ich je hätte lesen können; Michel Zink aus Versailles und dem Collège de France für seine philosophische Bemerkung, daß die Zahl der Spieler beim Fußball keineswegs selbstverständlich ist.

Einige Kollegen machten mir klar, daß die Wirkung intellektueller Einwände durchaus der Wirkung eines *clean hit* im American Football entsprechen kann, wo es allein auf das richtige Timing ankommt. In diesem Sinne geht mein Dank an Karl Heinz Bohrer in London, Paris, Berlin und Stanford, weil er mir einige flinke Ansichten über Ästhetik nicht durchgehen ließ (wann immer Gefahr aufkam); an Horst Bredekamp in Berlin, der mir und wenigen erlauchten Zuhörern erzählte, wie Michelangelo Jesse Owens bewunderte; an Nina Buhre in Baden-Baden für visuelle Kompetenz, die über das Visuelle hinausging; an Monika Fick in Aachen, weil sie sich für die Leidenschaft ihrer Freunde interessiert; an Rubén Gallo in Princeton für zahllose Stadien (als sie ganz wichtig waren); an Chris, der auf dem Kansai Airport an meinem Stil feilte; an Marco für ein Set-up (als Begriff und beinahe ganz konkret); an Sara Gumbrecht Real für die Vertretung von Rechten und Lizenzen; an Toshi Hayashi in Kyoto für eine häßliche Frage; an Yasuhi Ishii in Tokio und Zushi für anspornende Kommentare (auch wenn sie mich nie erreichten); an Joachim Küpper, zum Glück in Berlin, und Andreas Kablitz, Coloniensis, für ein folgenreiches Gespräch in Florenz zur rechten Zeit und nicht über Sport; an Ulla Link-Heer für Regen in Wuppertal, als ich Regen brauchte; an Aldo Mazzucchelli in Stanford und Montevideo für nichts weniger als Andrades Leben; an Thomas Pavel in Chicago für einen (leibhaftigen) Zirkus; an Ludwig Pfeiffer aus Osaka für seine Präsenz, vor allem die intellektuelle (weil ich physisch nicht mithalten kann); an Irina Prokharova in Moskau, die so charmant über meine (lahmen) Witze lachte; an Mads Rosendahl, der mich von Kopenhagen aus über Basketball in Stanford auf dem laufenden hält; an Violeta Sánchez aus Berlin für einige Kampfstiere; an Bernhard Siegert für Weimarer Kulturtechnik; an Michael Walter in Graz für bedingungslose Offenheit; an David Wellbery in Chicago und Nymphenburg für seine höflich gnadenlosen Argumente; und an Wolfgang Welsch in Jena für leidenschaftliche Gespräche mit Gelassenheit.

Manche Freunde bringen einen Autor allein dadurch zum Schreiben, daß sie ihn glauben machen, sie würden seinen Text gerne lesen, obwohl der Autor zumindest in einigen Fällen ganz genau weiß, daß sie sehr viel bessere Texte zu lesen haben – was die Motivationskünste, um die es hier geht, noch viel bewundernswerter und geheimnisvoller macht. Meister in dieser komplexen und oft unterschätzten Kunst sind Chi Elliott, die meinen

Stil minimalistisch fand; Petra Hardt, die mich immer wieder daran erinnert (und dann wieder vergessen läßt), daß Bücher auch verkauft werden können; Brigitte Landes für ihr leuchtendes Anspornen; Bernd Stiegler mit seinen Erwartungen aus intensiver Leichtheit; Margaret Tompkins, weil sie Sam mag (und meistens auch ihre Arbeit, wie sie sagt); und Rainer Weiss, der aus guten Gründen an Egon Loy glaubt statt an den Weihnachtsmarkt.

Mit Robbie Harrison (der mir beibrachte, daß auch der Tod zählt) habe ich nur wenig über dieses Buch gesprochen: aber zu wissen, daß er darauf gewettet hat, war für mich wie eine religiöse Verpflichtung.

Einmal mehr gab es (jedenfalls für mich) zum Schreiben keinen besseren Ort als die Stanford University, weil kein anderer Ort außer Stanford je die antiken Griechen darin übertroffen hat (und ich meine das durchaus ernst), Sport und Studium zu einer Einheit werden zu lassen. Dieses Wunder geschieht, tagtäglich und Jahr für Jahr, in Gestalt von Freunden wie Seyi Aboleji, dessen Pässe so afrikanisch sanft sind, wie sein Verstand messerscharf ist; oder Emily Cohen, die selbst über Dinge, die sie nicht interessieren, die klügsten Kommentare abgibt; oder Josh Landy, der dafür sorgt, daß ich den Fußball nicht aus den Augen verliere; oder Ted Leland, der durch sein Genie, und weil er so aussieht wie ein Football Coach, beides zusammenbringt; oder Trina Marmarelli, die den Rhythmus von Ballsportarten mit dem von Dichtung verschmilzt; oder Pablo Morales, der stummen Geisteswissenschaftlern die Stimme eines Sportlers gab; oder Rick Schavone, der nie müde wird, etwas Neues auszuprobieren; oder Matthew Tiews, der uns nie im Stich lassen wird; oder schließlich Coach Tyrone Willingham, dessen Größe für mich gegenwärtig geblieben ist.

Daß Stanford der beste Ort zum Schreiben dieses Buches war, schließt mit ein, daß Stanford-in-Kyoto ein noch besserer Ort war, weil ich mich durch die Großzügigkeit einiger Freunde ganz in die Arbeit vertiefen konnte. Mein Dank geht an Eiko Fujioka, der mich mit den Hanshin Tigers bekannt machte; an Erin Gardener, die mich jeden Morgen hereinlegte; an Kenny

Gundle, der im Innenhof rauchte; an Lisa Honda, die den besten Sake kannte; an Shawn Standefer, mit dem ich unbedingt reden mußte; und an Anjo(u) Chen, die ein Ereignis ist.

Laura, Sara und Ricky sind schöner und aufregender für mich als alle Spielzüge, die ich je gesehen habe – und anders als vergängliche Spielzüge sind sie zum Glück immer da.

Stanford-in-Kyoto und Stanford, April bis August 2004.

Der Autor

Hans Ulrich Gumbrecht wurde 1948 in Würzburg geboren.

Er studierte Romanistik, Germanistik, Philosophie und Soziologie in München, Regensburg, Salamanca (Spanien) und Pavia (Italien).

1974 habilitierte er sich und war von 1975 bis 1982 Professor in Bochum, von 1983 bis 1989 an der Universität in Siegen.

Er nahm Gastprofessuren an zahlreichen ausländischen Universitäten wahr, u. a. am Collège de France. Seit 1989 ist er Professor für Komparatistik an der Stanford University. Gumbrecht ist Mitherausgeber des *Grundrisses der romanischen Literaturen des Mittelalters, Figurae – Readings in Medieval Culture, Writing Scene, und Espaces Métisses*.

Er schreibt u.a. für die *Frankfurter Allgemeine Zeitung*, die *Neue Zürcher Zeitung*, die *Folha de São Paulo* und für den *Merkur – Zeitschrift für europäisches Denken*.

Im Suhrkamp Verlag erschienen: *Diesseits der Hermeneutik* (2004), *Die Macht der Philologie, Über einen verborgenen Impuls im wissenschaftlichen Umgang mit Texten* (2003), *1926. Ein Jahr am Rand der Zeit* (2001), *Eine Geschichte der spanischen Literatur,* 2 Bde. (1990).